# J'aime

## Essai sur l'expérience d'aimer

**Couverture**

- Maquette et illustration
  MICHEL BÉRARD

DISTRIBUTEURS EXCLUSIFS:

- Pour le Canada:
  AGENCE DE DISTRIBUTION POPULAIRE INC.*
  955, rue Amherst, Montréal H2L 3K4 (tél.: 514-523-1182)
  *Filiale de Sogides Ltée
- Pour la France et l'Afrique:
  INTER-FORUM
  13, rue de la Glacière, 75013 Paris (tél.: 570-1180)
- Pour la Belgique, la Suisse, le Portugal, les pays de l'Est:
  S.A. VANDER
  Avenue des Volontaires 321, 1150 Bruxelles (tél.: 02-762-0662)

**Yves Saint-Arnaud**

# J'aime

## Essai sur l'expérience d'aimer

**Centre interdisciplinaire de Montréal Inc.**
5055, avenue Gatineau Montréal H3V 1E4 (514) 735-6595

**Les Éditions de l'Homme***

CANADA: 955, rue Amherst, Montréal H2L 3K4

*Division de Sogides Ltée

*Bibliothèque nationale du Québec*
*Dépôt légal — 1er trimestre 1978*

ISBN-0-7759-0583-6

# INTRODUCTION

*Lorsque Pierre, Marie, Jean-Paul ou Josée prononcent les mots* j'aime, *que vivent-ils ? Quelle expérience humaine traduisent-ils par ces deux mots ? Telle est la question à laquelle J'AIME essaie de répondre.*

*Le titre comprend deux mots et chacun a son importance. Si le génie de la langue française ne s'y était pas opposé le titre aurait été JE AIME. L'expérience qui permet de prononcer les mots* j'aime *suppose une expérience plus fondamentale, qui s'exprime dans le simple mot* je. *Le premier chapitre décrit cette expérience comme un prérequis à l'expérience d'aimer.*

*L'approche utilisée est celle de la psychologie dite* expérientielle *ou* descriptive. *L'auteur ne prétend pas analyser tous les mécanismes sous-jacents à l'expérience d'aimer. Pour lui, l'amour n'existe pas ; il n'y a que des personnes qui aiment. Son but est de nommer l'expérience de ces personnes, telle qu'il l'a perçue dans la vie de tous les jours, en dehors des salles de cours ou de conférences ; nommer cette expé-*

*rience avec l'espoir que Pierre, Marie, Jean-Paul, Josée et le lecteur puissent s'y reconnaître et prononcer avec plus de lucidité et d'intensité les mots* j'aime, je t'aime, je t'aime bien . . .

*Celui qui s'interroge sur son expérience d'aimer ne peut certes se contenter de nommer et d'identifier ce qu'il vit. Ce qui le préoccupe c'est le comment. Il cherche les moyens de mieux aimer, de surmonter aussi les obstacles qui l'empêchent d'aimer. L'auteur qui est psychologue de profession comprend bien cette préoccupation mais il ne croit pas qu'il y ait de recette, ni même de façon standard de vivre l'expérience d'aimer. Il croit par ailleurs que celui qui parvient à identifier correctement ce qu'il vit est dans de meilleures conditions pour répondre aux questions qu'il se pose.*

*L'auteur se perçoit ici comme le secrétaire des gens qui aiment. Il cherche à rendre hommage à leur expérience en essayant de l'identifier et de la systématiser. Il n'apporte ni solution ni recette mais il invite le lecteur à se mettre à l'écoute de sa propre expérience d'aimer. C'est là que chacun trouvera les meilleures réponses aux questions qui surgissent en lui.*

J'AIME *ne s'inscrit donc pas dans la lignée des traités sur l'amour. Il n'est pas destiné aux spécialistes des sciences humaines. Il s'adresse à toute personne capable de prononcer les mots* j'aime, *spécialiste à sa façon de l'expérience d'aimer.*

*Les descriptions psychologiques sont entrecoupées de textes littéraires qui ouvrent des fenêtres sur le monde poétique. D'autres spécialistes de l'expérience d'aimer ont essayé d'y traduire l'intraduisible dans un langage plus suggestif, et certainement plus beau, que le langage psychologique. Le but de ces extraits est de libérer le lecteur du sentiment d'assèchement que pourrait susciter en lui la lecture d'une description psychologique. Le poète qui évoque l'expérience d'aimer, pour imprécis qu'il puisse être, lui conserve tous ses impondérables. Il peut aider le lecteur à demeurer à l'écoute de ce qu'il vit, même lorsqu'il accepte de soumettre son expérience à la systématisation du psychologue.*

*Après le premier chapitre qui explicite l'expérience du* je, *quatre chapitres présentent successivement une description générale de l'expérience d'aimer, puis trois façons de vivre cette expérience dans une relation amoureuse, dans une relation d'amitié, et dans une expérience dite* d'accompagnement. *Le dernier chapitre reprend l'évolution de ces différentes expériences en soulignant leur aspect dynamique.*

*Nous prendrons le temps de vivre*
*D'être libre mon amour*
*Sans projets et sans habitudes*
*Nous pourrons rêver notre vie*

*Viens je suis là*
*Je n'attends que toi*
*Tout est possible*
*Tout est permis*

Chanson de
Georges Moustaki

# CHAPITRE 1

# JE

Avant de prononcer les mots *j'aime,* Pierre ou Marie doit devenir capable de dire *je.* Il n'y a pas d'amour sans une personne qui aime, une personne libre et consciente d'elle-même.

C'est toute l'histoire – parfois le drame – de chaque existence humaine qui est contenue dans l'expérience du *je.* L'enfant qui naît est incapable d'aimer, car il n'a pas encore la possibilité de dire *je.* Même s'il hérite de milliers d'années d'expérience humaine, dont il fera plus tard son profit, il doit conquérir cet héritage : il doit apprendre à subsister, à aimer, à produire, à donner un sens à son existence, bref à faire l'expérience de la vie.

Le nouveau-né ne perçoit pas encore les frontières entre son corps et le monde extérieur. Il découvre progressivement sa propre main, son pied, ses doigts, sa figure ; il apprend que ceci fait partie de lui et que cela fait partie du monde extérieur : ainsi commence l'expérience du *je.*

Pierre entend, par exemple, le son *Pierre,* dirigé vers lui, et bientôt le nom qu'on lui a donné lui permet d'identifier l'expérience qu'il a de lui-même. A mesure que le langage lui permet d'organiser son monde intérieur, il commence à se prendre en charge et à s'affirmer comme un individu, expérience qu'il traduit par le terme *je.*

L'expérience du *je* pourrait faire, à elle seule, l'objet de tout un volume, voire d'une collection qui ne finirait jamais. Les limites du présent chapitre, qui se veut une introduction à la description de l'expérience d'aimer, permettent seulement d'en dégager quelques aspects.

Celui qui veut décrire l'expérience du *je* doit d'abord établir des conventions avec le lecteur. Tel auteur, par exemple, choisit la forme littéraire : le roman, la poésie, la chanson, ou la simple description des événements de sa propre vie lui permet de communiquer à ses semblables son expérience du *je,* en ce qu'elle a d'unique. Tel autre auteur, qui se veut scientifique, cherche plutôt à dégager de son expérience des catégories qui permettent une description plus systématique et universelle de la même expérience du *je. J'AIME* essaie de concilier certains éléments des deux approches. D'une part, il fournit au lecteur des mots et des catégories de type systématique ; d'autre part il invite le lecteur à dépasser ces catégories les utilisant uniquement pour se mettre à l'écoute de sa propre expérience d'aimer. C'est pourquoi l'auteur se présentait dans l'introduction, non pas comme un *docteur* en psychologie, mais comme un *secrétaire* des gens qui aiment. Il cherche à identifier, à nommer et à systématiser l'expérience de chacun.

## 1. Je vis

Celui qui se met à l'écoute de l'expérience humaine peut enregistrer quelques lignes de forces qui semblent universelles, concernant l'expérience du *je.* Pierre, par exemple, qui n'est plus un bébé, mais un adulte conscient de ses besoins et capable de les exprimer, traduit dans un langage très simple ce qui le pousse à agir et ce qui guide son développement personnel.

Il apparaît d'abord comme un être de besoins au niveau du développement physique : *j'ai faim, j'ai soif, j'ai besoin d'air pur, je m'endors, j'ai le goût d'être bien, j'ai envie de toi*... Ces différentes expériences ne manquent pas d'étiquettes dans le monde des sciences humaines. Retenons le terme *libido* qu'utilisent les psychanalystes pour souligner que tous ces besoins agissent sous le signe du plaisir. Pierre apparaît comme un être de plaisir qui trouve son chemin dans la vie, en repérant quotidiennement les jalons du plaisir et du déplaisir.

Pierre ou Marie, qui ignore le plus souvent que sa vie est l'expression d'une libido omniprésente, décrit l'expérience de son *je* avec plus de détails. S'il est une personne en santé, il se perçoit probablement comme un *je* qui *aime*, un *je* qui *crée* et un *je* qui *cherche à comprendre.*

> « *On vous a dit aussi que la vie est obscurité, et dans votre fatigue vous répétez ce que disent les las.*
> *Et je vous dit que la vie est réellement obscurité sauf là où il y a élan,*
> *Et tout élan est aveugle sauf là où il y a savoir,*
> *Et tout savoir est vain sauf là où il y a travail,*
> *Et tout travail est vide sauf là où il y a amour,*
> *Et lorsque vous travaillez avec amour vous vous liez à vous-même, et l'un à l'autre, et à Dieu.* »
>
> Là où il y a élan...
> Gibran, *Le prophète*

« Je ne suis pas faite pour vivre seule. » Marie peut résumer ainsi sa recherche d'une communication avec *l'autre,* le *tu* qui l'aidera à découvrir et à suivre son propre chemin dans la vie : besoin d'aimer et d'être aimé qui oriente toute une partie de son agir quotidien. Besoin aussi vital pour son développement psychologique que la faim et la soif pour son développement physique. Les chapitres qui suivent expliciteront longuement l'expérience que suscite le besoin fondamental d'aimer et d'être aimé.

*Je me sens utile, j'aime mon travail, j'ai des projets, j'ai le goût de bâtir quelque chose.* Pierre traduit ainsi un deuxième aspect important du développement de son *je :* son besoin de produire et d'être créateur. Que ce soit dans son travail, dans un hobby, dans une activité artistique ou dans la simple prise en charge d'un carré de potager, il exprime ainsi, dans sa vie quotidienne, son besoin de produire. Un secrétaire qui voudrait aider le lecteur à prendre conscience et à systématiser son expérience de créativité pourrait intituler son texte *je crée* ou *je produis.*

Le sourire de Pierre ou de Marie qui vient de comprendre quelque chose traduit mieux que les mots peut-être un troisième aspect aussi important du développement de son *je,* la présence continuelle d'un besoin de comprendre ; besoin de donner un sens aux événements et à sa propre existence. Par la négative, l'expression douloureuse *je ne comprends pas,* témoigne du même besoin. Et c'est encore le même besoin qui peut donner à Marie le goût de continuer la lecture de *J'AIME* dans l'espoir d'y trouver un moyen de comprendre ce qu'elle ressent à l'égard de Pierre ou de Jean-Paul. Même si ce livre contribue à satisfaire le besoin de comprendre du lecteur, il n'aborde pas comme telle la description de l'expérience que suscite un tel besoin fondamental. Le titre *je cherche* conviendrait très bien à un ouvrage qui poursuivrait un tel objectif.

### 2. Je suis libre

Une description sommaire de l'expérience de vivre nous a présenté Pierre comme un être de plaisir, fait pour aimer, produire et comprendre. En prêtant l'oreille aux questions des philosophes et des théologiens on est invité à pousser plus loin le compte-rendu de l'expérience de vivre. Pierre devient un *je* qui se questionne sur lui-même : *Pourquoi j'existe ? Pourquoi chercher à être bien physiquement et sexuellement ?*

*Pourquoi chercher à communiquer? Pourquoi produire? Pourquoi chercher à comprendre?*

Dans un monde chrétien traditionnel, il aurait probablement formulé sa réponse en termes religieux. Dans un monde sécularisé, les réponses sont multiples. Plusieurs personnes ne voient même pas la nécessité de la question. Ils répondent hâtivement : *parce que c'est comme ça, l'homme est bâti comme ça, il n'y a aucune raison.* Le secrétaire qui veut poursuivre la description risque ici de devenir le secrétaire particulier de ceux qui retiennent la question. Il risque aussi d'ennuyer ceux qu'elle n'intéresse pas. Il se contentera donc de proposer quelques jalons utiles aux descriptions ultérieures de l'expérience d'aimer.

Pierre qui mange, aime, produit et cherche à comprendre est un être unique. A ce titre, une tâche lui incombe dont personne ne peut le dispenser, celle de se construire lui-même, de se prendre en charge, de devenir un être autonome. Pierre apparaît comme un être en quête de liberté. Tous les objectifs qu'il poursuit, les causes ou les idéologies qui le nourrissent, les réalisations qu'il projette peuvent être perçus comme autant de moyens de s'identifier comme un être unique, cherchant à devenir pleinement lui-même, tout en apportant une contribution dans la construction du monde auquel il appartient.

L'homme est, à l'origine, l'être le plus dépendant que l'on puisse imaginer. Pour devenir lui-même, il doit donc se libérer de plus en plus des servitudes de toutes sortes. En même temps qu'il devient capable de pourvoir à ses besoins physiques, il développe sa capacité d'aimer et d'être aimé, sa capacité de créer, sa capacité de donner un sens à son devenir. Dans la mesure où il trouve une réponse satisfaisante à ses besoins fondamentaux, il est confirmé dans l'existence. Il acquiert une certitude, la seule peut-être qu'aucun bouleversement ultérieur ne pourra ébranler, celle de sa propre valeur. Cette prise de conscience, dans la mesure où Pierre l'approfondit, suscite une expérience très comblante qui se traduit dans les mots *je suis libre,* ou *je deviens libre.*

*Ma liberté*
*Longtemps je t'ai gardée*
*Comme une perle rare*
*Ma liberté*
*C'est toi qui m'as aidé*
*A larguer les amarres*
*Pour aller n'importe où*
*Pour aller jusqu'au bout*
*Des chemins de fortune*
*Pour cueillir en rêvant*
*Une rose des vents*
*Sur un rayon de lune*

Chanson de
Georges Moustaki

Les chapitres qui suivent présentent les différents chemins de l'amour comme autant de chemins de libération. Dans l'expérience d'aimer Pierre devient de plus en plus capable de dire *je vis* et *je suis libre ;* apte aussi à sacrifier apparemment sa liberté dans le lien de l'amour qui le conduira plus avant du pays de la liberté.

*Ma liberté*
*Tu as su désarmer*
*Mes moindres habitudes*
*Ma liberté*
*Toi qui m'as fait aimer*
*Même la solitude*
*Toi qui m'as fait sourire*
*Quand je voyais finir*
*Une belle aventure*
*Toi qui m'as protégé*
*Quand j'allais me cacher*
*Pour soigner mes blessures*

Chanson de
Georges Moustaki

Faut-il aller plus loin et se demander à quoi rime cette recherche de liberté ? Pourquoi devenir soi-même, à un prix parfois si élevé, si la mort est le terme inévitable d'un tel chemin ? L'objet de *J'AIME* ne le permet guère, mais il suffit de percevoir Pierre comme un être en quête d'autonomie et de liberté pour le suivre maintenant sur les différents chemins de l'amour.

*Ma liberté*
*Pourtant je t'ai quittée*
*Une nuit de décembre*
*J'ai déserté*
*Les chemins écartés*
*Que nous suivions ensemble*
*Lorsque sans me méfier*
*Les pieds et les poings liés*
*Je me suis laissé faire*
*Et je t'ai trahi pour*
*Une prison d'amour*
*Et sa belle geôlière.*

Extrait d'une
chanson de
Georges Moustaki

CHAPITRE 2

# J'AIME

Décrire l'expérience de celui qui aime n'est pas chose facile. Quand Pierre aime, le plus souvent il n'a pas le goût d'en parler, et le sentiment chez Marie de vivre quelque chose d'ineffable ne facilite pas le travail de celui qui tente de faire le procès-verbal de son expérience.

Une autre difficulté vient du fait qu'en français le verbe *aimer* désigne tellement de réalités différentes qu'il perd souvent sa signification. En écoutant le langage quotidien, on retrouve le mot aimer dans les contextes les plus variés : *j'aime la pizza, j'aime mon travail, j'aime lire, j'aime Dieu, j'aime bien tante Eulalie, j'aime chanter, j'aime la vie, j'aime Marie, j'aime le vent et la nature, j'aime Félix Leclerc, j'aime la solitude, j'aime mon prochain, j'aime tout le monde, j'aime ça.*

Pierre ou Marie semble employer le mot aimer pour dire qu'un de ses besoins est satisfait, peu importe lequel, et peu importe le lien avec son besoin fondamental d'aimer et d'être aimé. Il faut donc faire un choix et retenir uniquement les expressions qui nous conduisent directement à l'expérience d'aimer.

Les descriptions qui suivent partent d'un postulat, celui que Pierre ou Marie est un être capable d'aimer, capable d'établir une communication significative avec une autre personne, douée elle aussi de la même capacité d'aimer et d'être aimée. Partant d'un tel postulat, on peut se demander à quels signes on peut reconnaître une véritable expérience d'aimer. Quand Pierre affirme qu'il aime bien tante Eulalie, ou quand il dit qu'il aime son prochain, ou quand il se déclare amoureux de Marie, il ne veut certainement pas dire la même chose. Avant d'expliciter les différentes expériences que recouvre l'expression *j'aime,* le deuxième chapitre propose une description générale de la capacité d'aimer.

Pierre semble devenir capable d'aimer dans la mesure où il développe trois capacités de base. Elles apparaissent comme trois dimensions et trois composantes de l'expérience d'aimer : ce sont respectivement la capacité de *plaisir,* la capacité d'*affection* et la capacité de *choix.* Les expressions suivantes permettent de repérer ces trois composantes dans l'expérience quotidienne. L'expérience du plaisir se traduit par l'expression *je désire,* l'expérience de l'affection par l'expression *je me sens bien avec toi,* et l'expression du choix par l'expression *je choisis.*

## 1. Je désire

L'expression *je désire* que Pierre utilise pour identifier ce qu'il ressent face à Marie désigne un engagement d'ordre érotique et sexuel à l'égard de Marie. La personne qu'il désire lui plaît physiquement. Une force, qualifiée d'instinct, le porte vers cette personne, suscitant en lui un désir de contact et d'échange physiques, source de plaisirs très variés qui s'enchaînent jusqu'au sommet de l'orgasme.

L'expression *faire l'amour* qui désigne la relation sexuelle est ambiguë, car elle réfère à un comportement qui peut avoir plusieurs significations. Il arrive, par exemple, que Pierre *fait l'amour* sans pouvoir dire à la personne qui est avec lui : *je t'aime. Faire l'amour* ou s'engager érotiquement à l'égard d'une autre personne peut faire partie par ailleurs de l'expérience *j'aime.* Dans certains cas, c'est même la dimension qui apparaît la plus centrale, mais la dimension du plaisir n'est qu'un élément de l'expérience d'aimer. Elle peut s'intégrer ou non avec les autres composantes. Le chapitre suivant : *je t'aime* décrira l'intégration propre à l'expérience amoureuse.

Il n'en demeure pas moins que quelle que soit l'importance accordée à la dimension du plaisir, celle-ci est inhérente à la capacité d'aimer. Il importe donc de la situer dans l'ensemble du développement de la personne.

Celui qui aime est un être charnel et sexué. C'est d'ailleurs ce qui en fait un être de plaisir. Sa croissance personnelle dépend même de son aptitude à repérer les jalons du plaisir et du déplaisir.

Si Pierre a pu apprendre à marcher, par exemple, c'est grâce à ce dynamisme du plaisir. Le plaisir lié au fonctionnement de ses muscles, lui a permis de faire ses premiers pas dans la vie. Malgré les douleurs des chutes occasionnelles, le plaisir a été plus fort : il l'a guidé vers un stade plus avancé de son développement physique.

Il en est de même pour le goût, la sensibilité tactile et les autres sens qui guident Pierre par l'alternance plaisir-déplaisir, lui permettant de trouver ce qui est bon pour lui.

Dans sa recherche de relation interpersonnelle Pierre se guide également sur la dimension plaisir-déplaisir. C'est le dynamisme du plaisir qui lui permet, par exemple, de trouver un partenaire, dans l'expérience d'aimer.

Quand Pierre affirme qu'il désire Marie, il traduit un engagement érotique en présence de Marie. Il ne dit pas encore, et pas nécessairement qu'il aime cette femme mais il exprime une capacité de plaisir qui deviendra un élément important du lien amoureux éventuel.

*Alors un ermite, qui visitait la cité une fois par an, s'avança et dit, Parlez-nous du Plaisir*
*Et il répondit, disant :*
*Le plaisir est un chant de liberté,*
*Mais il n'est pas la liberté.*
*Il est l'éclosion de vos désirs,*
*Mais il n'est pas leur fruit.*
*Il est une profondeur appelant un sommet,*
*Mais il n'est ni l'abîme ni le faîte.*
*Il est le prisonnier prenant son essor,*
*Mais il n'est pas l'espace qui l'enveloppe.*
*Oui, en vérité, le plaisir est un chant de liberté.*
*Et volontiers je vous verrais le chanter à plein coeur ; mais ne voudrais point vous voir perdre vos coeurs dans ce chant.*

.................................................................................

*Souvent en vous refusant le plaisir vous ne faites qu'accumuler le désir dans les replis de votre être.*
*Qui sait seulement que ce qui semble omis aujourd'hui attend pour demain?*
*Même votre corps connaît son héritage et son juste besoin, et veut n'être pas déçu.*
*Et votre corps est la harpe de votre âme,*
*Et il vous appartient d'en tirer musique douce ou sons confus.*

Parlez-nous du plaisir
Gibran, Le prophète.

Trop souvent, le dynamisme du plaisir est perçu comme un obstacle au développement de la liberté et de l'autonomie de la personne, plutôt que comme une force de croissance. Il est vrai que le cheminement du plaisir peut venir en contradiction avec le dynamisme des valeurs décrit plus loin sous le titre *je choisis.* Pierre a parfois l'impression d'être soumis à ses instincts, le développement de sa capacité de plaisir se faisant au détriment de sa capacité de choix.

Cette contradiction apparente soulève le problème de l'intégration des différentes composantes de l'expérience d'aimer. L'éclipse de liberté vécue dans la recherche du plaisir n'est pas liée comme telle au dynamisme du plaisir mais à un manque d'intégration. C'est une nuance importante car, à l'inverse de l'éclipse décrite précédemment, l'absence de plaisir peut aussi devenir une entrave à la liberté et détruire l'expérience d'aimer.

La recherche de liberté apparaît dans la sexualité comme dans toutes les dimensions de l'agir humain. La maturité sexuelle – elle se manifeste dans la capacité de plaisir intense et d'abandon sexuel – peut devenir une source de grande libération. Si l'engagement sexuel est parfois vécu comme un esclavage, ce n'est pas que le plaisir est une force tyrannique qui entrave la liberté. C'est plutôt le signe que celui qui le vit ainsi n'a pas développé une capacité de choix proportionnée à sa capacité de plaisir. Inversement, si Pierre a développé sa capacité de choix, et s'il choisit de se mettre à l'écoute de ses forces instinctives, il peut atteindre une qualité de plaisir qui, intégré dans l'expérience d'aimer, deviendra une grande source de libération.

La question de la maturité psychologique prête souvent à confusion, si on ne tient pas compte des différents dynamismes. Avant de parler globalement de la maturité de Pierre, comme personne, il serait opportun de s'interroger sur la maturité propre à chacun des dynamismes présents dans l'expérience d'aimer. Par exemple, au niveau du plaisir, la maturité ne consiste pas à réprimer ni à supprimer cette capacité de plaisir, pas même à la maîtriser, mais au contraire à lui donner son plein épanouissement. La maîtrise de soi apparaîtra au niveau de l'intégration des trois dynamismes, mais elle suppose d'abord l'épanouissement de chacun.

Pierre aura atteint sa maturité sexuelle dans la mesure où il sera devenu capable d'engagement érotique, capable de vivre l'orgasme avec toute l'intensité de plaisir qui lui est due dans l'harmonie d'une relation sexuelle adulte. Même si par hypothèse Pierre n'exprime jamais son amour par l'échange sexuel, on peut parler de maturité sexuelle dans la mesure où sa capacité de plaisir est demeurée libre de tout conditionnement social ou religieux.

La maturité de la personne étant une question de degrés, la maturité de Pierre ne dépend pas uniquement de sa maturité sexuelle. On peut même trouver les signes d'une grande maturité chez une personne qui vit de sérieux blocages au plan sexuel. Une zone d'immaturité ne compromet pas nécessairement le développement de la personne pourvu qu'elle soit reconnue et intégrée dans l'expérience du *je*.

On peut conclure que, dans la mesure où Pierre vit le désir et peut s'engager érotiquement face à Marie, il est en possession d'une des composantes qui lui permettront un jour de dire *je t'aime*.

## 2. Je me sens bien avec toi

Pierre devenu capable de plaisir et de désir doit encore développer sa capacité d'affection avant de pouvoir s'engager sur les chemins de l'amour. L'expérience de l'affection est bien distincte de l'expérience du désir. Pierre peut désirer cette femme qu'il rencontre chaque matin sur la rue et qui lui plaît, sans pour autant vivre une expérience d'affection. Inversement, il peut éprouver beaucoup d'affection pour sa mère, son frère, sa soeur, un ami, sans jamais vivre le désir. L'expérience de l'affection est nommée ici par un de ses effets, celui de se sentir bien en présence de quelqu'un qui est objet d'affection.

A mesure que Pierre développe sa capacité d'affection, il éprouve toute une gamme de sentiments : sympathie, chaleur, estime, bienveillance, tendresse, confiance, sécurité, douceur, sont les termes qui donnent accès à l'expérience affective de Pierre. Lorsqu'il éprouve un ou plusieurs de ces sentiments à l'égard de quelqu'un, il peut lui dire : *Je me sens bien avec toi*. Il exprime aussi cette expérience par le sentiment d'être compris, d'être accueilli, d'être en communication avec l'autre, de pouvoir s'exprimer librement sans crainte d'être mal interprété ou jugé par son interlocuteur. La capacité d'affection devient alors une capacité de partager avec l'autre, de se laisser vivre en présence de l'autre.

La capacité d'affection comme la capacité de plaisir est un dynamisme de croissance qui se développe au fil des jours. C'est grâce à l'affection reçue que Pierre s'est senti confirmé dans l'existence, comme on l'a vu dans le chapitre précédent. Entendant son nom prononcé avec chaleur et douceur par ceux qui l'aiment, il se fait une image positive de lui-même. Il puise ensuite à même cette affection reçue le sentiment de sa valeur et une confiance de base face à la vie.

*Tu m'as fait des enfants*
*Plus beaux qu'arbres des champs*
*Plus blancs que blé des plaines*
*Le plus vieux, le plus vieux a tes yeux*
*Le plus jeune a les miens*
*Et l'autre a ton sourire*
*Je nomme l'un, tu nommes l'autre*
*Mais c'est moi, mais c'est toi*
*Et nous deux à la fois*

Chanson pour ma femme
Chanson de Georges Dor

Fort de cette expérience, Pierre commence à développer sa capacité d'affection et à répondre à son tour aux sentiments de chaleur et de tendresse. Face aux différentes personnes qu'il rencontre, il réagit maintenant selon un registre affectif très mobile. Pourquoi trouve-t-il Jean-Paul sympathique alors que tous les autres de son entourage le fuient ? Bien malin celui qui pourrait l'expliquer : mieux vaut le constater et tenir compte des caprices de l'échange affectif.

Devenu capable d'affection, Pierre développe spontanément cette aptitude à se sentir bien en présence de l'autre. L'autre, c'est son frère, son ami, son collègue, son copain, toute personne qu'il rencontre avec joie, parce qu'avec elle il se sent libre de dire *je,* libre aussi de partager une part quelconque de son expérience de vivre.

Les commentaires déjà faits sur la maturité sexuelle s'appliquent aussi à la maturité affective. On a souvent confondu la maturité affective avec la capacité de contrôler, voire d'éliminer, ses émotions et ses sentiments. Dans certains milieux, Pierre qui n'éprouve plus aucune affection est considéré comme un homme libre qui témoigne d'une grande maturité. Il n'est pas rare de rencontrer aujourd'hui des gens *sérieux* qui confinent l'affection à l'adolescence et à la jeunesse : *J'ai passé cet âge-là,* affirme tel monsieur de quarante ans à peine, interrogé sur sa vie affective.

*Et qu'au niveau des sentiments*
*Je suis arriéré de vingt ans*
*Que l'amour c'est plus ce que c'était*
*Qu'on ferme sa gueule et qu'on le fait*
*Je le sais*
*Pas besoin que vous me racontiez*
*Que le romantisme est périmé*
*Que moins il y a de sentimentalité*
*Le plus il y a de foin dans son grenier*
*Je le sais*

*Pas besoin de me dire qu'aujourd'hui*
*Le cri du coeur ça ne s'écrit plus*
*Qu'il vaut mieux chiâler sur la vie*
*Que de la porter jusqu'aux nues*
*Je le sais*

*Que le bonheur ne touche personne*
*Et qu'il faut des calamités*
*Pour que ma concierge frissonne*
*Ou pour que vous vous émeuviez*
*Je le sais*

*Qu'il faut prendre le mors aux dents*
*Mettre le feu aux sentiments*
*Et quand on est à court d'idées*
*Sucer un bonbon de LSD*
*Je le sais*

*Qu'aujourd'hui on ne s'attendrit plus*
*Ça fait cucu, ça fait fleur-bleue*
*Qu'il faut pas oublier non plus*
*Que ça fait des rides autour des yeux*
*Je le sais*

*Qu'il faut être un peu moins sincère*
*Les temps ont tellement changé*
*Qu'on ne peut même plus parler de sa mère*
*Sans passer pour un pédé*
*Je le sais*

Je le sais
Chanson de
Jean-Pierre Ferland

La maturité affective consiste plutôt à développer sa capacité d'affection, la dirigeant vers un nombre croissant de personnes. Cela n'exclut pas les relations privilégiées — elles seront décrites plus loin sous le titre *je t'aime bien* — mais le développement de la maturité affective se traduit ordinairement chez Pierre par une qualité de chaleur humaine et de bienveillance qui s'ajoute à toutes ses relations interpersonnelles.

Une des causes de la difficulté fréquente à recevoir et à exprimer de l'affection vient peut-être dans notre milieu d'une crainte quasi morbide de l'affection : crainte qu'elle soit un obstacle à la maturité, voire une pierre d'achoppement dans le développement de la personne. Pour plusieurs de nos contemporains, parler d'une affection adulte, c'est comme parler d'un cercle carré. L'affection et l'âge adulte sont deux réalités qui semblent se contredire l'une l'autre : Le jeune s'attarde à l'oasis de l'affection, l'adulte a passé l'âge tendre et il poursuit son chemin dans le désert quotidien.

Une telle crainte de l'affection peut s'expliquer aussi par l'échec ou les souffrances qui ont accompagné le développement affectif. Vivre l'affection c'est en même temps devenir vulnérable ; livrer son monde intérieur, plus encore que livrer son corps, c'est donner à l'autre un certain pouvoir sur soi, une possibilité de heurter en même temps qu'une possibilité d'aimer. Guidé par l'affection ressentie à l'égard de tel ami Pierre se laisse aller aux confidences, il se laisse vivre à haute voix en présence de cet ami. Si, plus tard, la porte qu'il a ouverte lui revient sur le nez, il enregistre un échec et perçoit l'affection comme dangereuse.

De même que la sexualité, l'affection peut, en fait, devenir une entrave à la liberté et à l'autonomie de Pierre. Ce n'est pas en elle-même cependant qu'elle constitue une telle entrave. De soi, l'affection qui ouvre au dialogue est plutôt source de libération, car elle permet de devenir soi-même en présence de l'autre. Si elle devient aliénante c'est peut-être qu'elle n'a pas été l'objet d'un choix. L'échec vient donc d'un manque d'intégration des différentes composantes de l'expérience d'aimer plutôt que d'une trop grande capacité d'affection. Il peut arriver, par exemple, que Pierre s'engage de façon plus ou moins délibérée dans un échange affectif qu'il regrette par la suite. A ce point de vue, on peut déplorer les conditionnements de toutes sortes : pressions de groupes, drogues, alcools, atmosphère d'alcôve, utilisés parfois pour forcer la communication. La somme d'alcool ingurgitée peut permettre à Pierre sans doute de dire beaucoup de choses sur lui ou d'être momentanément très chaleureux, car elle libère son dynamisme affectif des inhibitions quotidiennes, mais au lendemain d'une telle confidence, il n'est pas certain qu'il en garde une impression de libération. Le problème vient de ce qu'il n'a pas vraiment choisi le partage. Le sentiment de s'être livré un peu malgré lui entraîne un sentiment d'échec. Il peut alors attribuer cet échec au dynamisme affectif comme tel, mais en fait il vient plutôt d'une déficience de sa capacité de choix.

A l'inverse de l'expérience d'échec, si l'échange affectif est vraiment objet de choix, Pierre n'a pas l'impression de se vider ou de s'aliéner en se laissant aller à vivre devant l'autre. Cela n'exclut pas la possibilité d'expériences pénibles, advenant par exemple une brisure ou une trahison du lien affectif, mais il est peu probable que cette douleur se change en sentiment d'échec. Ayant lucidement choisi de communiquer, Pierre est capable d'en porter toutes les conséquences. Le sentiment qu'il a d'avoir fait un bout de chemin dans sa recherche d'autonomie et de liberté, malgré le prix qu'il doit maintenant y mettre, reste intact : il poursuivra son cheminement vers la maturité affective. La description de l'expérience *je t'aime bien* explicitera plus loin le chemin de liberté suivi dans l'amitié ainsi que les risques qu'il comporte.

### 3. Je choisis

Pierre peut avoir développé sa capacité de plaisir et sa capacité d'affection ; il peut avoir atteint une grande maturité sexuelle et une grande maturité affective ; mais cela ne suffit pas pour qu'il puisse dire *j'aime.* Il lui faut encore développer sa capacité de choix.

Les deux dynamismes déjà décrits, celui du plaisir et celui de l'affection, sont deux moteurs importants de l'expérience d'aimer, mais plusieurs fois déjà les allusions faites à la capacité qu'a Pierre d'évaluer et d'orienter son expérience ont introduit le troisième dynamisme, identifié comme une capacité de choix. Lorsque Pierre peut dire *je choisis* ou *je veux,* il manifeste cette troisième dimension de l'expérience d'aimer.

L'expérience du choix ouvre la question des valeurs et de l'éthique. A mesure que Pierre est devenu capable de plaisir et capable d'affection, il est aussi devenu capable de s'interroger sur lui-même, d'évaluer et d'orienter son propre devenir. Déjà, il se manifeste ainsi comme un être libre mais sa liberté elle-même se développe dans la mesure où progresse sa capacité de faire des choix.

Laissé à lui-même, Pierre est déjà guidé, dans ses choix, par le dynamisme du plaisir et par celui de l'affection. Le plaisir qu'il a de manger et de dormir, on l'a vu, l'aide à faire des choix qui lui permettent de développer sa santé physique. De plus, l'affection qu'il ressent spontanément oriente les choix qui le conduisent vers ses semblables. Le problème apparaît cependant lorsque ces différents dynamismes, pour autonomes qu'ils soient dans leur croissance respective, ne s'exercent pas à la façon d'un automatisme. Ils contribuent à la croissance de Pierre et l'aident à devenir un être autonome et libre, mais c'est l'enjeu même de la liberté que de ne pas être préétablie, ni automatique. D'une certaine façon, Pierre semble *condamné à la liberté,* mais il n'est pas libre malgré lui. C'est là qu'intervient la nécessité pour lui de se prendre en charge, d'orienter son devenir, de faire des choix.

D'un autre point de vue, les dynamismes du plaisir et de l'affection, de même que les autres besoins fondamentaux déjà identifiés, deviennent souvent conflictuels et placent Pierre à des carrefours qui appellent des choix. Sa tendance au confort et au plaisir, par exemple, le tient au lit tard dans la matinée. Par ailleurs, la nécessité de gagner sa vie, ou d'autres engagements, le poussent en dehors du lit tôt le matin. Avant de se coucher la veille, Pierre est à un carrefour. Il doit faire un choix. Il peut régler son réveille-matin pour huit heures ou choisir de dormir tout son soûl le lendemain matin. Il peut choisir aussi de ne pas choisir, se fiant à ce qui se produira spontanément le lendemain matin. On ne peut évaluer seulement de l'extérieur la capacité de choix de Pierre. Le fait qu'il pose un geste et règle son réveille-matin pour huit heures ne prouve pas qu'il a fait le choix de se lever à huit heures. Il peut *faire comme s'*il choisissait, par routine ou par contrainte. Il est possible alors que, malgré la sonnerie du réveille-matin, Pierre ne s'éveille pas, manifestant ainsi qu'il n'a pas vraiment choisi de se lever, ou du moins qu'il a fait un choix qui heurtait des besoins plus profonds que celui de se lever.

On peut constater, d'une part, que la capacité de choix se développe dans une succession d'essais et erreurs, et d'autre part, qu'elle est limitée. Elle ne peut se développer à l'encontre des besoins inscrits dans la chair même de Pierre. Il ne peut par exemple choisir simultanément de continuer à vivre et de ne plus manger.

Bien des philosophes, psychologues et autres penseurs ont contesté la réalité même de la liberté, « choisissant » d'interpréter le devenir humain comme un pur déterminisme. Le moins qu'on puisse dire, c'est qu'une telle position contredit l'expérience de Pierre qui vit la nécessité et l'expérience quotidienne de faire des choix.

Sa capacité de choix étant limitée et soumise à l'essai et erreur, Pierre est amené à se situer face à des normes extérieures à lui-même, face à une éthique. Vivant dans une société structurée et appartenant à telle époque, Pierre est confronté, dès qu'il peut faire des choix, à un ensemble de normes. Elles lui sont proposées, ou imposées, comme des moyens de guider sa capacité de choix. Il est libre de les utiliser ou non, de les respecter ou de les enfreindre, mais le fait que ces normes existent le place à un carrefour et l'oblige à faire des choix.

> *Souvent je vous ai entendu parler de celui qui commet une mauvaise action comme s'il n'était pas l'un des vôtres, mais un étranger parmi vous et un intrus dans votre monde.*
> *Mais je vous le dis, de même que le saint et le juste ne peuvent s'élever au-dessus de ce qu'il y a de plus élevé en chacun de vous.*
> *Ainsi le mauvais et le faible ne peuvent tomber audessous de ce qu'il y a également de plus bas en vous.*
>
> Vous êtes le chemin . . .
> Gibran, Le prophète

De même que la sexualité, par ses exigences, pouvait devenir une entrave à la liberté de Pierre, de même que l'affection pouvait éclipser sa capacité de choix, les lois et les normes extérieures peuvent aussi devenir une pierre d'achoppement dans l'évolution de Pierre. Choisir n'est pas facile : il y a toujours possibilité que les normes préétablies sollicitent Pierre à la démission de son *je.* Il choisit alors une solution toute faite lorsqu'il se trouve au carrefour du choix. L'autorité et la loi deviennent, par exemple, des critères quasi absolus et Pierre réduit sa capacité de choix à adopter le point de vue des autres. Dès qu'un conflit surgit, l'automatisme enchaîne sa capacité de choix à des normes extérieures.

Ainsi Pierre n'utilise pas vraiment sa capacité de choix s'il pose le geste de régler son réveille-matin pour huit heures, uniquement parce que la société dans laquelle il vit, exige du père de famille qu'il soit au bureau pour neuf heures. Il fait comme si, mais ne progresse en rien dans la prise en charge de lui-même. La conséquence de ne pas se lever malgré la sonnerie n'est pas tellement grave, mais dans la mesure où cet événement symbolise un refus de choisir habituel, la conséquence est beaucoup plus sérieuse ; car Pierre se prive d'un dynamisme essentiel à l'expérience du *je* et à l'expérience d'aimer. C'est alors qu'il peut devenir esclave de ses instincts ou victime des pressions extérieures dans l'orientation de son devenir.

A l'inverse de l'asservissement aux normes extérieures, une autre attitude peut manifester aussi un refus de choisir : celle qui consiste à rejeter a priori toute norme extérieure. La mode *Zorba* ou *hippie* peut ici donner le change. Le refus de certaines normes, voire même de toute une société, perçue comme aliénante et asservissante, est une chose ; le rejet de toute éthique en est une autre. En fait, le plus original des hippies et le plus authentique des Zorbas sera libre dans la mesure où il sera capable d'évaluer son agir et de choisir les gestes qu'il pose. Une éthique, quel que soit son contenu, dans la mesure où elle est utilisée comme un guide peut donc aussi devenir un instrument de libération. Elle permet à Pierre de s'orienter plus sûrement sur les chemins de l'amour. Si un jour il désire sa soeur, par exemple, c'est une manifestation normale de sa capacité de plaisir ; s'il fait l'amour avec elle et lui fait un enfant, il compromet sérieusement leur développement respectif. Une éthique qu'il adopte librement peut l'aider, dans une telle circonstance, à maîtriser son engagement érotique et à le canaliser ailleurs. Il fait un choix qui le rend plus libre : non seulement libre d'éprouver l'engagement érotique sans être pris de panique, mais libre aussi à l'égard de sa propre capacité de plaisir.

La capacité de choix, guidée par une éthique appropriée, apparaît donc comme une autre dimension du développement humain. Après avoir parlé de maturité sexuelle et de maturité affective, on peut parler ici de la maturité éthique de Pierre pour désigner sa capacité d'évaluer son expérience et sa capacité d'agir en fonction des choix qu'il fait. Dans la mesure où Pierre atteindra cette maturité éthique, il sera capable de dire vraiment *je* ou *je choisis.* Il sera aussi devenu apte à dire *j'aime.*

## 4. J'aime

Les pages qui précèdent décrivent trois dynamismes qui se complètent les uns les autres dans l'expérience d'aimer. Dans la mesure où Pierre atteint sa maturité sexuelle, affective et éthique, il devient capable de dire *j'aime.* Le graphique qui suit permet de visualiser la progression de ces trois composantes dans la prise en charge de soi : Pierre est un être qui cherche la liberté dans le plaisir, dans l'affection et dans les choix qu'il fait.

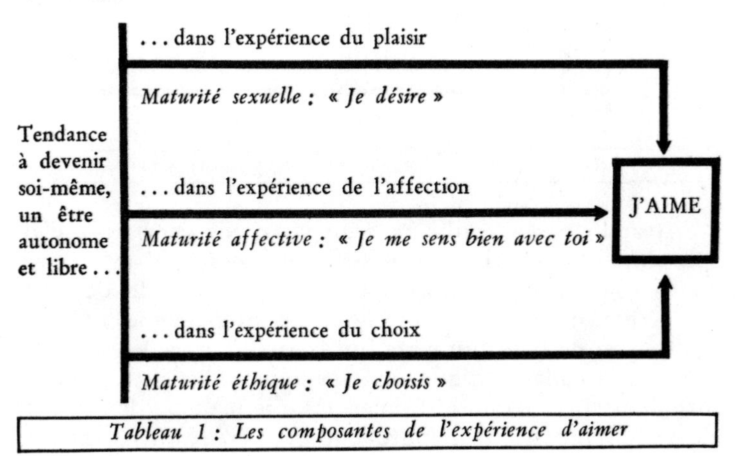


*Tableau 1 : Les composantes de l'expérience d'aimer*

La maturité de Pierre, on l'a déjà vu, n'est pas une affaire de tout ou rien. Certes, l'expression *j'aime* a d'autant plus de signification qu'elle est prononcée par un être libre, mais, en fait, l'expérience d'aimer est vécue par des êtres limités. On peut représenter au moyen du graphique déjà utilisé quelques expériences d'aimer que limite un manque de maturité à l'un ou l'autre des trois niveaux décrits précédemment.

Julien, par exemple, qui vit de sérieux blocages dans sa capacité de plaisir, peut être incapable d'échange sexuel satisfaisant. Il peut quand même s'engager affectivement envers Josée et atteindre un niveau exceptionnel d'échange affectif : c'est ce type d'expérience que représente le graphique suivant :

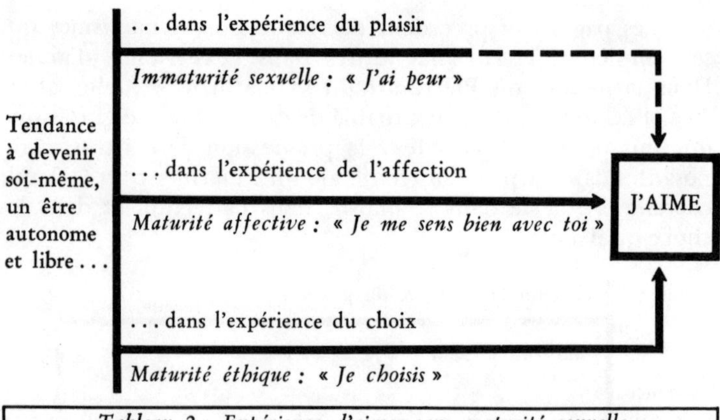


*Tableau 2 : Expérience d'aimer sans maturité sexuelle*

Jean-Pierre, par ailleurs, peut vivre une expérience d'aimer différente où il ne se possède plus dès qu'il est engagé sur la voie du plaisir. Il est incapable, par exemple, de différer l'échange sexuel avec Marie même s'il est conscient de la heurter ou de poser un geste qui contredit ses valeurs fondamentales au plan éthique. Son manque de maturité éthique atrophie son expérience d'aimer, mais le manque de contrôle ne l'empêche pas d'atteindre une grande maturité sexuelle et affective. Lorsqu'il prononce les mots *j'aime,* il traduit une expérience qu'on peut représenter de la façon suivante :

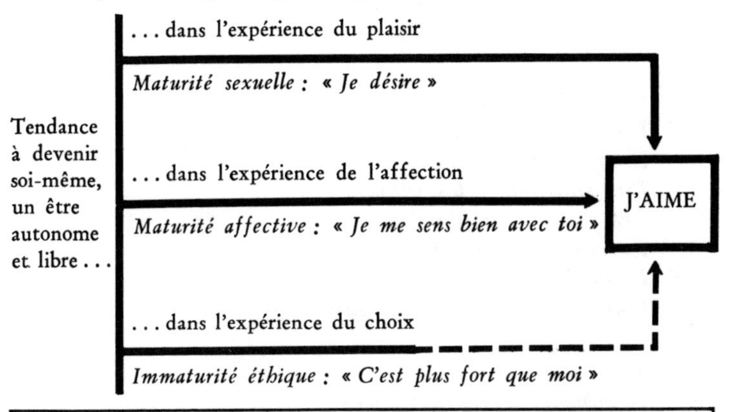


*Tableau 3 : Expérience d'aimer sans maturité éthique*

Enfin Jean-Louis peut avoir atteint une grande maturité sexuelle et une grande maturité éthique mais il se sent incapable d'affection authentique. Il est incapable, par exemple, de communiquer son monde intérieur ou d'éprouver un sentiment de tendresse à l'égard d'une autre personne. Son expérience peut s'exprimer de la façon suivante :

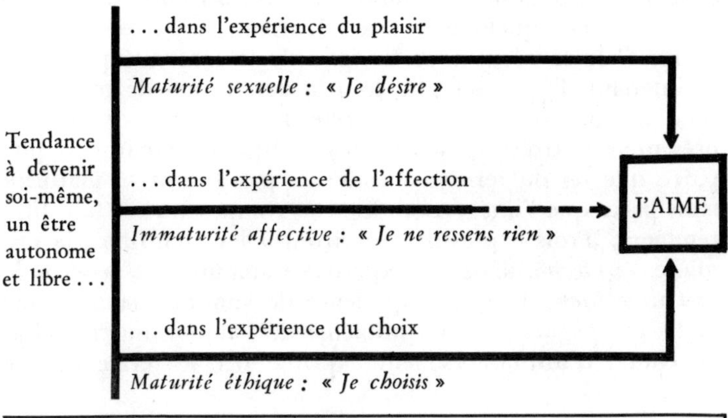


*Tableau 4 : Expérience d'aimer sans maturité affective*

*Si je savais parler aux femmes*
*Je ne dirais presque rien*
*Parlerais comme à l'église*
*Avec les yeux et les mains.*

*Et mon souffle très chaud*
*Lui chaufferait le cou*
*Et mon bras replié*
*Lui courberait les reins*
*Les yeux en baldaquin*
*Le coeur au grand galop*
*Et de bouche à bouche*
*Oui je t'aime et beaucoup*

*Si je savais parler aux femmes*
*Je saurais les garder aussi*
*Et je sais bien que la mienne*
*Ne serait jamais partie.*

Si je savais parler aux femmes.
Chanson de Jean-Pierre Ferland

Les éléments recueillis jusqu'à présent ont permis de décrire dans ses grandes composantes l'expérience d'aimer et d'en souligner quelques limites. L'attention portée à l'expérience d'aimer vécue sous le signe de la maturité permettra maintenant de pousser plus loin la description de ce que vit celui qui prononce les mots *j'aime.* Les chapitres qui suivent présenteront trois types d'expérience qui diffèrent non plus parce que tel ou tel dynamisme n'a pas atteint sa maturité, mais parce que l'intégration des trois composantes se fait différemment. Trois expressions serviront à les identifier : la première, *je t'aime,* désigne l'expérience amoureuse ; la seconde, *je t'aime bien,* désigne l'expérience de l'amitié ; la troisième, *je t'accompagne,* pose le problème de l'amour qui est objet de choix, traditionnellement exprimé par le terme *charité.*

CHAPITRE 3

# JE T'AIME

Les mots *j'aime* sont des mots qui commencent une phrase, le plus souvent : ils appellent un complément. Dans l'expérience que décrit le troisième chapitre, c'est le nom d'une personne qui sert de complément, une personne dont Pierre est amoureux : *J'aime Marie.* Pour bien saisir l'expérience amoureuse de Pierre, il faudrait saisir cette expérience au moment même où Pierre prononce à l'oreille de Marie les mots *je t'aime.* C'est l'expression qui sert à désigner la façon d'aimer des amoureux.

Les trois composantes décrites dans le chapitre précédent apparaissent dans l'expérience amoureuse de Pierre, comme dans toute expérience d'aimer. Leurs caractéristiques et la façon dont elles se développent sont décrites sous les trois titres suivants : l'expression *je veux que tu sois à moi* caractérise le dynamisme du plaisir ; l'expression *c'est avec toi que je suis bien* caractérise le dynamisme affectif ; l'expression *je m'abandonne à toi* caractérise le dynamisme du choix.

## 1. Je veux que tu sois à moi

Pour devenir amoureux, on l'a vu, Pierre doit avoir atteint une certaine maturité sexuelle ; être capable de dire *je désire.* Il peut avoir vécu des moments de désir à maintes reprises à l'occasion de ses premiers flirts, ou au fil des rencontres passagères. Lorsqu'il devient amoureux, sa capacité de plaisir devient sélective et se dirige vers celle qu'il a remarquée entre toutes. L'expérience *je désire* ou *elle me plaît* vécue à l'occasion d'une rencontre passagère devient beaucoup plus centrale : elle s'installe progressivement comme une vague de fond qui soulève Pierre vers Marie de façon périodique, cherchant l'écho qui permettra l'abandon réciproque de l'un à l'autre. Dans la mesure où le dialogue amoureux s'engage, Pierre traduit son expérience par les termes *je veux être à toi,* et *je veux que tu sois à moi.* Peut-être ne le dira-t-il pas avec des mots, mais sa bouche, ses mains, son regard se feront les interprètes de son expérience.

L'intensité du désir, vécue dans l'expérience amoureuse, vient de ce que tous les dynamismes de l'amour s'harmonisent et se conjuguent à l'intérieur d'une même relation : c'est toute la force de l'instinct qui est mise au service de l'amour. Cette intensité rend plus difficile par ailleurs la satisfaction du désir. La personne aimée est trop importante pour que Pierre risque de briser la relation affective par une satisfaction sexuelle prématurée. C'est pourquoi la capacité de choix joue un rôle important dans l'expérience amoureuse ; elle permet, entre autres choses, de différer la satisfaction sexuelle.

L'intensité qu'atteint le désir dans l'expérience amoureuse éveille parfois la capacité de plaisir de Pierre jusqu'à un véritable déchaînement. Pierre devient alors un être passionné, capable aussi bien de se surpasser dans l'expression sexuelle de son amour, que de violences extrêmes, s'il ne reçoit pas la réponse qu'il attend de celle qu'il aime. A certains moments, la violence peut être telle que s'il lui permet de se formuler, elle se traduit par les mots : *je te hais, je te tuerais.* C'est là une autre façon de dire *je veux que tu sois à moi* et une variation, paradoxale mais authentique, de l'expérience *je t'aime.*

*... je vis toute la gamme de sentiments possibles envers toi. J'attends ton téléphone, depuis deux jours je ne vis plus. Je t'aime et je t'en veux, je voudrais te faire mal, je voudrais que tu souffres et je tomberais dans tes bras.*

*Aujourd'hui je n'ai rien fait, je rêve, je m'imagine un tas de choses, je me sens très vulnérable, j'ai le goût de pleurer, et je n'aime pas souffrir, je ne veux pas souffrir.*

*J'essaie de me défendre, je me raisonne, je m'empêche de penser, je regarde ta photo et je t'aime. Et me voilà encore à attendre, c'est intenable, je n'en peux plus, je te dis tout bas les choses les plus affreuses et après je te dis que je t'aime...*

Extrait d'une lettre.

L'expression *je veux que tu sois à moi* souligne également que le désir est vécu entre deux êtres libres. Leur plaisir même dépend de la qualité de leur abandon respectif, et cette qualité dépend à son tour du choix qui est fait de part et d'autre de vivre un tel abandon. Ce choix sera décrit plus loin sous le titre *je m'abandonne à toi.*

L'expérience amoureuse de Pierre ne peut donc se réduire à la simple possession du corps de celle qu'il aime. Ce n'est en rien *je veux ton corps* ni même *je te veux,* comme on voudrait un objet. L'expérience que vit Pierre s'exprime vraiment par les termes *je veux que tu sois à moi,* c'est-à-dire *je veux que tu veuilles que je te veuille, je veux te posséder mais dans la mesure même où tu veux t'abandonner, et je veux m'abandonner dans la mesure même où tu veux me posséder.* Le dynamisme du plaisir, avant même que le dynamisme de l'affection entre en jeu et avant que l'éthique intervienne, appelle déjà le respect de la personne aimée.

Pierre apprend dans l'expérience amoureuse, le plus souvent par essais et erreurs, qu'il n'est pleinement satisfait, sexuellement parlant, que dans l'harmonie de cet abandon, voulu de part et d'autre. Très souvent aussi, cet abandon de la personne aimée apparaît à la suite d'un refus mi-tactique, mi-prudence, qui aiguise le désir de Pierre et prépare un abandon plus poussé. Pierre vit alors l'expérience très satisfaisante de conquérir celle qu'il aime. Son langage corporel aussi bien que verbal peut traduire l'expérience suivante : *je te séduis, je te prends, je te fais mienne,* tout en maintenant le fait que *c'est toi comme être libre que je prends ainsi, toi qui choisis de t'abandonner et qui aimes à être prise ainsi.* Notons que Marie, de son côté, peut vivre la même expérience : l'aspect conquête attribué davantage à l'homme n'est en rien son monopole.

Il peut être utile de dissiper ici l'équivoque que des moralistes ont introduite, à leur insu sans doute, en désignant l'orgasme sexuel par l'expression *plaisir complet.* Le plaisir complet suppose bien plus qu'un orgasme qui détend physiquement et procure un certain plaisir. Celui qui se masturbe de façon compulsive sait très bien que le plaisir soi-disant *complet,* condamné par le moraliste, est loin d'être *complet.* Le plaisir est un dynamisme qui se cultive et ses raffinements ne peuvent s'atteindre en dehors d'une relation interpersonnelle. Le moraliste a sans doute raison de mettre en garde contre la masturbation ; non pas parce qu'elle est source de *plaisir complet* et que le plaisir est dommageable ; mais bien plutôt parce qu'elle pourrait priver Pierre d'une recherche amoureuse qui le conduirait à des plaisirs plus intenses.

## 2. C'est avec toi que je suis bien

Pierre, pour être amoureux, doit être capable de plaisir. Il doit aussi être capable d'affection. Sa maturité affective influence son expérience amoureuse : elle lui permet d'établir une véritable relation interpersonnelle avec Marie et de vivre l'abandon sexuel comme une ouverture de tout son être en présence de celle qu'il aime.

Le dynamisme affectif se traduit par les mots *je me sens bien avec toi.* L'expression traduit chez Pierre un sentiment de confort psychologique en présence de quelqu'un pour qui il éprouve des sentiments de sympathie, d'estime, de tendresse, de chaleur, de douceur ou de confiance. Devenu amoureux, Pierre continue à cultiver sa capacité d'affection ; il est probable même que son registre affectif s'élargisse et qu'un nombre croissant de personnes en bénéficient, mais de toutes ses expériences affectives, aucune n'atteint l'intensité de celle qu'il vit en présence de Marie. Le lien psychologique qui se crée dans l'expérience amoureuse prend la forme de l'exclusivité. Elle se traduit par l'expression *C'est avec toi que je suis bien.* L'expression n'est pas tout à fait juste car Pierre peut aussi se sentir très bien en présence de ses amis, mais elle souligne le caractère exclusif du lien affectif tel que Pierre le vit avec Marie.

Marie est devenue pour Pierre une compagne quasi indispensable : elle fait désormais partie de lui, psychologiquement parlant. Il songe le plus souvent d'ailleurs à élaborer ou à refaire, avec Marie, des projets d'avenir où ils pourront vivre côte à côte. Il songe, par exemple, à fonder un foyer qui rendra leur amour source de vie nouvelle.

*Les enfants que j'aurai*
*Seront fiers et poètes*
*Auront le coeur en guitare*
*Et le goût des bateaux.*
*Moitié toi, moitié moi*
*Ces enfants que j'aurai un jour*
*Je veux qu'ils te ressemblent*
*Et qu'ils me ressemblent aussi.*

Les enfants que j'aurai
Chanson de Jean-Pierre Ferland

Affectivement, Pierre a le sentiment de devenir de plus en plus lui-même en présence de Marie. Il puise, à même cette relation affective, une force nouvelle qui lui permet de s'engager dans de nouveaux projets, lui apportant souvent une capacité d'audace insoupçonnée jusque là. C'est de là, peut-être que vient l'exclusivité du lien amoureux : il apparaît comme le tremplin que Pierre choisit dans sa recherche de liberté et d'autonomie. Cette affirmation peut paraître paradoxale car d'une part, l'exclusivité qui se crée entre Pierre et Marie peut apparaître comme une entrave à la liberté de celui qui s'abandonne. C'est effectivement le cas si Marie devient à ce point indispensable pour Pierre, qu'il perde sa propre capacité de choix. La relation amoureuse devient alors accaparante et source d'aliénation pour Pierre. Mais dans la mesure où il garde la responsabilité de son propre devenir, la relation amoureuse peut amplifier ses dynamismes de croissance et accélérer le développement de sa personne vers l'autonomie et la liberté intérieure. On verra dans le dernier chapitre comment l'expérience amoureuse s'inscrit dans l'ensemble du développement humain.

Pour l'instant, Pierre est amoureux et Marie est continuellement présente en lui. Elle devient un point de référence continuel. Il pense à elle, fait des projets pour lui plaire, aime à se confier à elle, à se dire tel qu'il est. Notons la différence cependant entre l'expérience amoureuse de l'adulte qui tend vers un partage de plus en plus vrai, même si ce partage est parfois douloureux, et l'expérience de l'adolescent qui cherche l'admiration, voulant impressionner par ses prouesses celle qu'il aime. La capacité d'affection chez l'adolescent est encore informe. Il cherche à se valoriser par ce qu'il fait plus que par ce qu'il est. L'estime ou l'admiration qu'il en reçoit ou qu'il croit en recevoir — car Marie qui saisit ce besoin de valorisation peut jouer le jeu, ce qui ne l'empêche pas de s'amuser un peu à ses dépens lorsqu'elle raconte ensuite à Josée les vantardises de Pierre — apporte à Pierre un support affectif. Une fois adulte cependant il a besoin de plus d'authenticité et n'hésite pas à se montrer tel qu'il est en présence de Marie. Il a besoin d'être aimé non plus pour ce qu'il fait ou pour ce qu'il voudrait être, mais pour ce qu'il est réellement.

L'échange amoureux prend donc la forme d'une communication de plus en plus vraie entre Pierre et Marie. Il se nourrit de la découverte réciproque du monde intérieur de chacun. Il peut arriver cependant que le temps passé à être bien, physiquement parlant, en présence de Marie, favorise une passivité chez Pierre concernant le partage affectif. Il arrive aussi qu'un manque de partage devienne la pierre d'achoppement de la relation amoureuse. Par crainte de briser la relation, s'il dévoilait les aspects négatifs de lui-même, Pierre peut introduire dans sa relation le virus de l'ambiguïté qui se développera jusqu'à l'expérience *je ne t'aime plus,* expérience qui sera décrite dans le dernier chapitre.

> *Quand elle vous parle, elle vous tient les mains, frôle sa bouche dans votre cou, vous touche, vous presse, vous tâte. Vous ne pouvez pas dire un mot qu'elle vous embrasse. Une conversation avec elle est une caresse qui se déplace sur votre peau comme un bec d'oiseau dans le grain.*
>
> Le calepin d'un flâneur
> Félix Leclerc

L'exclusivité affective présente aussi des facettes qui obscurcissent à l'occasion l'expérience amoureuse. Le fait que Pierre puisse dire à Marie : *C'est avec toi que je me sens bien,* le conduit, par exemple, en l'absence prolongée de Marie, à une expérience pénible qu'il traduit par les mots : *je m'ennuie.* L'ennui de l'amoureux, qui lui fait entreprendre à l'occasion de longs voyages pour retrouver celle qu'il aime, souligne à sa façon le caractère exclusif du lien amoureux. Marie n'est pas remplaçable, l'affection d'un ami, d'un parent ou d'un enfant, ne peut combler le vide créé par l'absence de la bien-aimée.

> *Trois jours sans toi*
> *Et il en reste encore cinq . . .*
> *Trois ans sans toi . . .*
> *Trois siècles sans toi . . .*

*Tu es si loin*
*Et je te sens si près*
*Tout me parle de toi*
*Tout ce que je vois*
*Tout ce que je fais*
*Je t'aime...*

Extrait d'un
journal personnel

L'exclusivité affective explique aussi pourquoi une relation amoureuse ne peut se développer à distance ou sans le tête à tête prolongé. La dimension physique et la capacité de plaisir étant au centre de la relation amoureuse, Pierre et Marie ne peuvent demeurer amoureux s'ils ne s'accordent pas le temps de vivre l'un avec l'autre ou si les circonstances les séparent trop longtemps.

Pierre vivra peut-être aussi l'expérience de l'attente qui exprime à sa façon l'exclusivité du lien amoureux. L'attente chantée par les poètes et décrite par les romanciers fait partie de l'expérience amoureuse comme l'épine fait partie du rosier.

Il y a aussi la jalousie. Dans l'expérience de la jalousie, Pierre rencontre une autre épine de l'amour. Au plan sexuel, il disait *je veux que tu sois à moi ;* l'exclusivité affective le fait ajouter implicitement *je veux que tu sois seulement à moi.* Il ne sera pas seulement jaloux d'un éventuel amant de Marie, mais parfois même de ses amis, de tout confident, ou de toute personne qui suscite une certaine forme d'abandon de la part de Marie.

### 3. Je m'abandonne à toi

Malgré les épines, Pierre a donc découvert la rose. Pour lui, « l'important c'est la rose ! » Dans l'échange affectif et sexuel qu'il vit avec Marie il est en voie de devenir de plus en plus lui-même, de plus en plus libre.

Pour vivre librement l'expérience amoureuse, Pierre doit être capable de choisir, comme on l'a vu déjà à maintes reprises. S'il n'a pas développé cette capacité de choix, il peut sans doute devenir amoureux et vivre une relation significative avec Marie, mais le prix pourrait en être élevé. Il est possible, par exemple, qu'il vive cet amour comme une fatalité qui l'emporte malgré lui. S'il place la responsabilité de sa relation en dehors de lui, il devient incapable de la diriger et de l'orienter. Advenant une issue malheureuse ou des conséquences imprévues, il accusera les dieux ou quelqu'autre force obscure *dont il est la victime*. De plus, sa relation amoureuse risque d'être vécue sous le signe de la peur, de la honte, voire même sous le signe de la culpabilité ou du dégoût. En plus de retarder la prise en charge de soi et l'accès à l'autonomie, un tel amour est semé d'embûches et de désillusions. Dès que l'expérience du désir apparaît, elle est déterminante et emporte Pierre sur des sentiers qu'il ne choisit pas. Il peut faire l'amour à maintes reprises sans jamais le choisir vraiment, et sans d'ailleurs atteindre les sommets du plaisir. Affectivement, il peut s'avancer sur les sentiers romantiques que lui ouvre la tendresse de Marie, mais sans jamais les pousser jusqu'à l'ouverture véritable de son monde intérieur, seule façon de se prendre vraiment en charge et de créer un lien durable avec celle qu'il aime.

Au contraire, dans la mesure où Pierre atteint sa maturité éthique, il devient capable de choix : il peut s'engager vraiment dans l'échange sexuel et affectif. Choisissant de s'abandonner, il se découvre tel qu'il est, et vit simultanément l'expérience d'être confirmé par celle qu'il aime. L'abandon, vécu au plan physique et affectif, devient le signe d'un amour adulte : il est objet de choix.

> *...puis-je réellement m'abandonner sans être dépendant ?*
> *Je vis des moments d'abandon total, puis je me reprends ; mais je crois de plus en plus que c'est possible.*
> *Je pensais que moins j'avais confiance en moi, plus c'était facile de m'abandonner, mais je réalise aujour-*

*d'hui que c'était un semblant d'abandon, c'était presqu'un désir d'anéantissement, de me perdre en l'autre qui seul importe.*
*Mais je crois maintenant que plus j'ai foi en moi, plus je m'aime vraiment, plus je peux m'abandonner pour vrai, plus profondément, parce que je n'ai plus peur de me perdre . . .*

Extrait d'un
journal personnel

Il peut sembler paradoxal de parler de choix dans l'expérience amoureuse. « Je ne choisis pas d'être amoureux ou de ne pas l'être. » En un sens, cela est juste et il n'est pas facile de saisir pourquoi Pierre devient amoureux de Marie, plutôt que de Josée ou de Lucie, qui semblent peut-être plus avantagées que Marie.

On a vu, par ailleurs, que la liberté de Pierre n'est pas une liberté absolue et qu'elle joue dans les limites des lois ou des déterminismes physiques, psychologiques et sociaux. Il reste que si l'étincelle amoureuse initiale n'est pas objet de choix, l'entretien du brasier relève des choix de Pierre. En ce sens, on peut dire que l'expérience amoureuse qu'il vit est objet de choix, car elle est authentique et satisfaisante dans la mesure où il choisit de la vivre.

La maturité éthique de Pierre ne lui permet pas seulement de s'abandonner sainement dans un engagement sexuel et affectif. Elle lui permet aussi, à l'occasion, de différer la satisfaction sexuelle et de s'imposer, sereinement, les frustrations qu'exigent les circonstances ou les imprévus de la relation amoureuse.

Pierre, qui n'a pas atteint la maturité éthique, boudera Marie, par exemple, si elle se refuse à lui pour une raison ou pour une autre ; ou bien la tristesse l'envahira au point qu'il brisera même l'échange affectif, s'enfermant dans la solitude. Pierre adulte au plan éthique vivra la frustration qui lui est imposée, mais poursuivra le partage affectif, faisant un choix qui tient compte de la réalité.

C'est également la maturité de sa capacité de choix qui permet à Pierre d'adopter une éthique qui oriente ses dynamismes sexuel et affectif. Chaque relation étant nouvelle Pierre doit trouver lui-même son chemin et souvent il y parviendra à travers une succession d'essais et erreurs. Quelques jalons lui permettent cependant d'éviter un certain nombre d'erreurs : d'autres les ont faites pour lui et il peut en profiter. Si un mouvement de violence surgit en lui, par exemple, au point qu'il serait porté à battre Marie qui ne répond pas à ses avances sexuelles, une éthique axée sur le respect de la personne lui évitera peut-être l'erreur grossière de battre Marie, pour découvrir ensuite, une fois la violence passée, qu'il a manqué de liberté et qu'il a dévié dans sa quête d'autonomie.

Pierre qui adopte les normes d'une éthique choisit un guide qui l'aide à tracer son chemin. Il y a un risque, comme on l'a vu au chapitre précédent, celui que Pierre s'exempte d'un choix personnel parce que *c'est permis* ou *ce n'est pas permis.* L'adolescent qu'il était, et qui subissait la loi avant de devenir capable de choix, agissait ainsi. Aujourd'hui, il peut connaître une réaction d'allergie face à la loi, perçue comme aliénante, mais il peut aussi atteindre assez de maturité pour ne pas se priver du moyen de libération que lui apporte une éthique, perçue comme un guide du comportement.

### 4. Je t'aime

Pierre a donc intégré les trois composantes essentielles de l'expérience d'aimer dans le choix qu'il fait de vivre l'expérience amoureuse : il est devenu capable de dire à Marie : *je veux que tu sois à moi, c'est avec toi que je suis bien* et *je m'abandonne à toi,* ce qu'il résume dans une formule plus brève, mais non moins dense : *je t'aime.*

Si l'une ou l'autre des trois composantes décrites dans les pages précédentes venait à manquer totalement, non seulement Pierre ne pourrait plus dire je t'aime, mais les tentatives qu'il ferait pour vivre l'expérience d'aimer deviendraient probablement des caricatures de l'amour.

Hector, par exemple, qui réduit sa femme à un esclavage où elle devient un objet à sa disposition, n'éprouve aucune tendresse et n'accorde aucune valeur à la personne de sa femme. Il prend peut-être plaisir à la dominer, mais s'il prononce les mots *j'aime ma femme,* pour nommer son expérience de domination, il les emploie dans un sens abusif. L'absence des composantes affectives et éthiques font de son expérience une caricature de l'amour. Il aime sa femme comme on aime un bon chien, mais le mot ne désigne plus l'expérience d'aimer décrite ici.

De même, Jean-François qui va chercher une consolation dans une maison de prostitution où il achète un plaisir momentané vit une expérience sexuelle, mais il aura du mal à dire *je t'aime* à la femme qui est près de lui sans éprouver un sentiment de fausseté. Même si, au plan éthique, il choisit librement cette expérience sexuelle, il n'a certes pas le temps de s'engager affectivement envers cette personne dont il est le client. S'il emploie les mots *je t'aime,* on peut penser qu'il s'adresse alors à une autre personne, qu'il aime vraiment, et qu'il cherche peut-être à rejoindre dans cette expérience sexuelle.

*Quand j'embrasse Sylvie*
*C'est à toi que je pense*
*Et quand je recommence*
*C'est parce que je m'ennuie.*

*Tu me manques, je t'aime*
*Et pour te retrouver*
*Je caresse Julienne*
*Croyant te caresser.*

*Quand je danse avec Line*
*Je me ferme les yeux*
*Et je sens ta poitrine*
*Tu me rends très heureux.*

*Si ma main vagabonde*
*Sur d'autres quelquefois*
*C'est l'amour qui me trompe*
*Je crois être avec toi.*

*Je te cherche*
*Mais ne te trouve pas toujours*
*Je te cherche*
*Avec tout mon amour, mon amour.*

Je te cherche
Chanson de
Jean-Pierre Ferland

Jean-Claude, pour sa part, qui veut devenir un homme et devance l'étincelle initiale peut essayer de jouer le jeu de l'amour avec Josée qu'il aime bien, mais l'absence de désir ou l'absence d'affection profonde l'entraîne aussi dans une caricature de l'amour. Les mots *je t'aime,* qu'il prononce ne sont pas les siens, mais ceux de l'homme qu'il voudrait être. Dans la mesure où Josée est une femme adulte, elle n'est pas dupe et perçoit le jeu, même si elle accepte avec bienveillance les efforts de cet amant en herbe.

Les quelques exemples de relations pseudo-amoureuses qui précèdent soulignent à leur façon la nécessité d'intégrer les dynamismes du plaisir, de l'affection et du choix dans l'expérience d'aimer. Lorsque l'intégration se fait sous le signe de la relation amoureuse, c'est la capacité de plaisir qui semble occuper la place d'honneur. On peut caractériser l'expérience *je t'aime* en disant que toutes les forces instinctives de Pierre sont mises au service de son amour pour Marie. L'engagement sexuel ne suffit pas, comme on l'a vu, mais c'est lui qui occupe la place centrale. Les composantes affective et éthique apparaissent comme des forces d'encadrement qui canalisent l'énergie sexuelle de Pierre. On peut représenter cette forme d'intégration au moyen du graphique déjà utilisé à la fin du chapitre précédent. La première composante est représentée comme l'onde principale dont l'amplitude dépasse celle des autres. Les composantes affective et éthique accompagnent l'onde principale et sont représentées par des ondes de moindre amplitude.

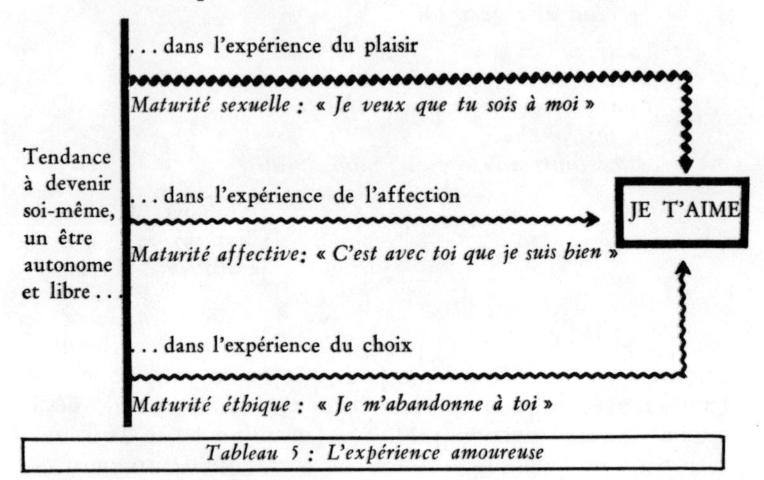


*Tableau 5 : L'expérience amoureuse*

L'expérience amoureuse vécue dans toute sa maturité transforme Pierre et lui donne un sentiment de vivre pleinement : *j'exulte* sont les mots qu'il emploie pour décrire le sentiment de libération qu'il vit alors. Cette expérience vécue par celui qui prononce les mots *je t'aime* apparaît comme une trouée vers un monde de liberté. Elle est une des voies qui conduit à l'autonomie.

> *. . . il y a des jours où j'étouffe dans cet amour*
> *où ça déborde.*
> *c'en est un de ceux-là aujourd'hui,*
> *où ça éclate.*
> *où je voudrais crier au monde entier que je t'aime,*
> *que c'est possible d'aimer comme ça,*
> *que c'est possible d'être heureux en aimant comme ça*
> *Quand on est heureux beaucoup,*
> *ça fait mal ici dans la gorge, ça serre,*
> *j'aurais besoin de crier pour que ça sorte,*
> *j'ai l'impression d'étouffer de joie et de bonheur . . .*

*...Oui, je m'attache à toi*
*et de plus en plus,*
*mais j'aime cette chaîne d'amour*
*qui me lie à toi.*
*Le manque de liberté pour moi*
*ce n'est pas de s'attacher à quelqu'un*
*c'est de ne pas pouvoir être soi-même*
*avec lui*
*et, avec toi*
*je suis de plus en plus moi*
*de plus en plus libre...*

Extrait d'un
journal personnel

CHAPITRE 4

# JE T'AIME BIEN

Pierre, amoureux de Marie, traduisait son expérience d'aimer par les mots *je t'aime.* Les mots *je t'aime bien* serviront maintenant à identifier l'expérience de l'amitié. Elle se présente comme une autre façon d'intégrer les trois dynamismes du plaisir, de l'affection et du choix. Le second apparaît cette fois comme le plus central ; il sera décrit en premier lieu sous le titre *je me sens libre avec toi.* Les deux autres composantes, qui sont aussi des éléments essentiels de l'amitié, seront présentées respectivement sous les titres : *j'ai plaisir à te voir,* et *je partage avec toi.*

## 1. Je me sens libre avec toi

La capacité d'affection décrite au second chapitre était présentée comme une capacité de vivre et de dire, en présence de quelqu'un, *je me sens bien avec toi.* C'est le point de départ de l'expérience d'amitié.

Le développement affectif de Pierre, de Jean-Paul, de Marie ou de Josée est à chaque fois une aventure nouvelle. Il varie beaucoup d'une situation à l'autre. Il semble cependant que le milieu affectif dans lequel se développe l'enfant influence toujours fortement son avenir affectif.

L'affection est une réalité qui s'apprend : l'enfant la reçoit d'abord des proches dont il se sent aimé ; l'adolescent la cultive en créant hors du foyer de nouveaux liens affectifs qui lui permettront de se prendre en charge et de devenir lui-même ; l'adulte enfin la développe jusqu'à sa maturité, ce qui lui permet de s'engager face à d'autres personnes, et de se lier d'amitié.

L'expression *se lier d'amitié* semble paradoxale. Lorsque Pierre vit l'amitié, il établit un lien véritable, qui est un attachement réel au plan affectif. Par ailleurs, en même temps que l'ami devient un être significatif pour lui, l'expérience qu'il vit lui ouvre des chemins tout à fait nouveaux dans sa quête de liberté. Pierre se sent lié véritablement par l'amitié qu'il a pour Jean-Paul mais ce lien est sous le signe de la gratuité. C'est ce qu'exprime l'expression *je me sens libre avec toi.*

Avec son ami, Pierre peut tout dire ; il peut se montrer tel qu'il est. Les contraintes, les normes ou les tabous qui empoisonnent souvent les relations interpersonnelles de la vie quotidienne s'évanouissent face à Jean-Paul. Pierre se sent libre. Libre non seulement par rapport aux contraintes, mais libre aussi face à cet ami. Le lien de l'amitié est lui-même sous le signe de la liberté : Jean-Paul devient de plus en plus important dans la vie de Pierre qui l'aime bien, mais chacun poursuit son chemin personnel.

A ce point de vue, l'expérience de l'amitié est à l'inverse de l'expérience amoureuse qui se traduit au plan affectif par les mots *c'est avec toi que je me sens bien* et même *je ne peux vivre sans toi.* La différence vient de ce que, dans le lien amoureux, Pierre associe Marie à son propre devenir au point que, psychologiquement parlant, elle fait partie de lui ; alors que, dans l'amitié, il reste seul et choisit le chemin de la solitude, en dehors des moments de rencontre avec l'ami.

C'est un autre paradoxe du dynamisme affectif que plus il se développe, plus il augmente la capacité de solitude. Une solitude qui sera pénible, sans doute, à certains tournants plus difficiles de la vie, mais une solitude pleine où la prise en charge de soi-même apporte la liberté intérieure. C'est d'ailleurs cette possibilité accrue de solitude qui place le lien d'amitié sous le signe de la liberté. La communication qui s'établit entre Pierre et son ami, dans la mesure où il s'agit d'une amitié adulte, n'est en aucune façon une démission de celui qui se confie. Si c'est le cas — et là aussi Pierre peut cheminer par essais et erreurs — l'amitié fait place à un lien de dépendance qui détruit l'amitié parce qu'il rend impossible le partage réciproque. S'il vit une telle dépendance, Pierre a le sentiment de se vider : loin de percevoir la communication comme une source de libération, il la vit comme aliénante et insatisfaisante. L'adolescent, qui n'est pas encore maître de son dynamisme affectif et s'engage souvent dans la confidence sans vraiment choisir d'agir ainsi, éprouve le sentiment de s'être vidé au lendemain des confidences, provoquées par une atmosphère de bivouac. C'est peut-être à ce moment que naissent les craintes qui rendent tellement de personnes adultes incapables d'affection et d'amitié.

Lorsque Pierre atteint sa maturité affective, par ailleurs, il peut désormais s'engager dans une communication de plus en plus poussée avec Jean-Paul, sans jamais cesser de pouvoir dire *je me sens libre avec toi.*

> *Mais qu'il y ait des espaces dans votre communion.*
> *Et que les vents du ciel dansent entre vous.*
> *Aimez-vous l'un l'autre, mais ne faites pas de l'amour une entrave :*
> *Qu'il soit plutôt une mer mouvante entre les rivages de vos âmes.*

*Emplissez chacun la coupe de l'autre mais ne buvez pas à une seule coupe.*
*Partagez votre pain mais ne mangez pas de la même miche.*
*Chantez et dansez ensemble et soyez joyeux, mais demeurez chacun seul.*
*De même que les cordes d'un luth sont seules cependant qu'elles vibrent de la même harmonie.*
*Donnez vos coeurs, mais non pas à la garde l'un de l'autre.*

Ne faites pas de l'amour une entrave
Gibran, Le prophète

L'ami apparaît donc comme un interlocuteur qui permet de communiquer davantage avec soi-même. L'ami devient un catalyseur dont la présence permet une plongée au fond de soi-même. C'est alors que Pierre devient plus autonome et apte à porter la solitude, car, en faisant le tour de ses demeures intérieures, il peut aussi les meubler et constituer au fond de lui-même un milieu psychologique où il fait bon vivre.

On comprend maintenant que l'ami devienne à la fois tellement important sans jamais devenir indispensable. L'absence de l'ami apparaît comme tout à fait différente de l'absence de la bien-aimée. Celle que Pierre aime lui est indispensable et si elle s'absente trop longtemps, les épines déjà signalées de l'attente et de l'ennui peuvent le plonger dans la tristesse et paralyser son agir quotidien. Celui qu'il aime bien peut s'absenter très longtemps et Pierre continue à vivre sereinement, sans nier cependant la solitude qu'il peut éprouver en l'absence de l'ami. Non seulement il ne cesse pas de cheminer dans la prise en charge de lui-même et dans sa quête de liberté, mais les chemins ouverts avec Jean-Paul l'incitent à créer de nouvelles amitiés. La non-exclusivité du lien d'amitié élimine en effet les épines de la jalousie et de l'ennui qui jalonnent le sentier des amoureux. Cela ne veut pas dire que l'amitié peut remplacer l'expérience amoureuse.

Non seulement chacune a des richesses qui ne se remplacent pas, mais elles peuvent aussi coexister. Rien n'empêche Pierre, amoureux de Marie, de se lier d'amitié avec Jean-Paul, François, Josée et plusieurs autres personnes. L'ami de mon ami devient d'ailleurs mon ami et cela, en raison même de la liberté inhérente au lien d'amitié. Ce n'est certes pas le cas du lien amoureux qui lui se vit dans l'exclusivité. On imagine mal que le nouvel amant de Marie devienne l'ami de Pierre amoureux. Dans l'expérience amoureuse, Pierre se donne à Marie avec le sentiment d'une appartenance réciproque. Cela exclut deux expériences simultanées. Dans l'amitié qu'il a pour Jean-Paul, Pierre n'a pas le sentiment d'appartenir à son ami. Il apprend plutôt, grâce à l'amitié, à s'appartenir de plus en plus à lui-même. Cela ne l'empêche pas de se donner et de vivre une certaine forme d'abandon psychologique, mais en se donnant à quelqu'un *qui ne le prend pas* et *qui ne le désire pas,* il se retrouve pleinement lui-même, libre de s'abandonner à nouveau dans une nouvelle expérience d'amitié lorsque Jean-Paul le quitte. L'abandon passager ne crée pas un sentiment d'appartenance. Il n'est donc pas question de trahison de l'amitié lorsque les amis se multiplient.

L'amitié décrite ici peut apparaître comme un phénomène exceptionnel qui n'est pas le fait de ce que recouvre ordinairement le terme amitié. Cela vient peut-être de ce que la qualité de l'amitié dépend de la qualité d'autonomie des personnes impliquées et que l'autonomie est une qualité du *je* qui s'acquiert progressivement. Par ailleurs, si on accepte le cheminement de l'essai et erreur qui est le lot de l'être en devenir, toute amitié peut tendre progressivement vers cette liberté qui lui est due. Cela suppose chez les deux amis une maturité de leur capacité de choix, telle qu'elle sera décrite plus loin.

On peut souligner une fois de plus que la crainte de l'affection et de la sexualité a contaminé dans certains milieux l'expérience de l'amitié, faisant planer au-dessus d'elle les spectres de *l'amitié particulière* et de *l'infidélité conjugale*. La capacité d'affection de chaque personne se développant par essais et erreurs, la composante éthique peut guider son développement ; mais si les normes morales supplantent et aliènent la capacité de choix, les erreurs s'accumulent, sans permettre à Pierre de se prendre en charge et de corriger la trajectoire de son développement affectif.

Supposons que Pierre vive à l'égard de Jean-Paul un attachement qui devienne accaparant et exclusif, voire même qui s'accompagne d'une expérience de désir au plan sexuel. C'est d'abord le signe que Pierre est en train de développer son dynamisme affectif. Si on brandit sans nuance le spectre de *l'amitié particulière* dans le but de briser cette relation *perverse* qui lie Jean-Paul et Pierre, on communique à ce dernier l'image qu'il est un être dépravé, un homosexuel, un dévié sexuel, un anormal. Cela comporte un double message. D'une part, on communique à Pierre qu'il est victime de forces instinctives qui le dominent ; d'autre part, on insinue qu'il est incapable de tracer son propre cheminement et qu'il doit s'en remettre à une éthique pour se protéger contre lui-même. Si, au contraire, on accorde à Pierre la possibilité de faire ses propres choix au moment où il s'ouvre de son attachement à Jean-Paul, on peut créer une relation d'amitié du type décrit plus haut. Pierre se sent libre alors de partager ce qu'il vit avec un interlocuteur qui l'accueille et il devient apte à reprendre le gouvernail de son propre développement affectif, faisant les choix qui lui semblent appropriés.

Il en est de même des restrictions affectives imposées aux gens mariés au nom d'une fidélité conjugale, conçue elle aussi sous le signe de la crainte et comme une protection contre soi-même. Plutôt que de renforcer la capacité de choix du mari qui aime une autre femme, on le met en tutelle au nom de normes préétablies. Non seulement cela entrave son cheminement affectif et le contamine par la peur ou la honte, mais cela contribue plus que tout à miner sa fidélité. Il sera question plus loin de la relation homme-femme dans un contexte d'amitié, ainsi que de la fidélité.

## 2. J'ai plaisir à te voir

Quand Pierre est devenu amoureux, il ne s'est pas nécessairement lié à la première femme qu'il a rencontrée. Avant de pouvoir dire à Marie *je t'aime,* il a peut-être fréquenté Josée, Geneviève, Françoise, Eloïse et bien d'autres. Sans doute qu'il pouvait dire à chacune *je me sens bien avec toi.* Déjà, il commençait à s'engager affectivement envers l'amie qu'il invitait à la danse ou au cinéma.

Il est possible aussi que Josée ait devancé Pierre sur le chemin de l'amour et lui ait dit un jour *je t'aime,* sans que Pierre sache que répondre. Au plan sexuel, Josée communique *je veux que tu sois à moi* mais Pierre ne peut répondre autre chose que *j'ai plaisir à te voir,* ou *à danser avec toi,* mais *je ne t'aime pas.* Pierre qui aime bien Josée connaît probablement l'éveil du plaisir au contact de son amie, mais sans vivre l'engagement du désir amoureux. Le plaisir qu'il éprouve est bien différent alors de celui auquel Josée le convie. Même si, par hypothèse, Pierre fait l'amour avec celle qu'il aime bien, il vit une expérience très différente de celle qu'il vivra éventuellement dans l'expérience amoureuse. A la limite, il pourrait dire à Josée *j'aime bien faire l'amour avec toi,* mais *je ne t'aime pas.*

De même, dans sa relation avec Jean-Paul, Pierre peut se plaire au contact de son ami. Si son éducation ne l'a pas trop chargé de tabous ou s'il vit dans un milieu social qui permet l'expression affective, il peut traduire physiquement son bien-être dans une étreinte chaleureuse. S'il est d'un milieu plus réservé il peut se contenter d'une bonne poignée de main lorsqu'il rencontre Jean-Paul, mais de toute façon la dimension du plaisir participe à son expérience d'amitié.

Si l'orientation sexuelle de Pierre est davantage tournée vers les personnes de son sexe, il peut même chercher à intégrer davantage la dimension du plaisir dans sa relation d'amitié avec Jean-Paul, se plaisant alors au contact physique avec son ami. Il peut aussi, s'il s'oriente carrérent vers la relation homosexuelle, vivre avec Jean-Paul une relation amoureuse qui, pour homosexuelle qu'elle soit, ressemble beaucoup à l'expérience décrite dans le chapitre précédent.

Outre ces cas d'exceptions, il reste cependant que le dynamisme du plaisir a un rôle plus discret dans la relation d'amitié. L'amitié peut même se développer sans contact physique. C'est ce qui permet, par exemple, à des personnes engagées dans le célibat de limiter leur capacité de plaisir, tout en vivant des amitiés très fortes.

Pour ce qui est de la relation homme-femme, elle peut très bien se développer dans la ligne de l'amitié. Très souvent, la crainte de l'instinct a créé des interdits au niveau des relations homme-femme vécues en dehors du mariage. Quels que soient les choix de Pierre et l'éthique qui le guide, il peut très bien s'engager dans une relation d'amitié avec Josée et Françoise sans cesser d'être amoureux de Marie. S'il adopte, par exemple, une éthique selon laquelle il s'interdit tout échange sexuel en dehors de la relation conjugale, et si Josée *qu'il aime bien,* adopte la même éthique, le partage affectif qu'ils vivent peut très bien suivre le chemin de l'amitié.

La réalité de l'amitié homme-femme est encore plus évidente à l'intérieure de la famille. Pierre qui embrasse chaleureusement sa soeur, sa tante ou sa cousine n'est pas nécessairement en train de lui dire *je veux que tu sois à moi.* L'engagement affectif, guidé par une éthique appropriée, agit lui-même comme élément de contrôle. Pierre intègre sa capacité de plaisir en la subordonnant au dynamisme affectif. « Parce que je t'aime bien, je m'interdis de te désirer, même si je te trouve séduisante et même si tu m'éveilles au plan sexuel. »

*Je me fous du monde entier*
*Quand Frédéric me rappelle*
*Les amours de nos vingt ans*
*Nos chagrins notre chez soi*
*Sans oublier les copains des perrons*
*Aujourd'hui dispersés*

*Aux quatre vents*
*On n'était pas des poètes*
*Ni curés ni malins*
*Mais papa nous aimait bien*
*Tu te rappelles le dimanche*
*Autour de la table*
*Ça riait, discutait*
*Pendant que maman nous servait*
*Mais après...*

Frédéric
Extrait d'une chanson de
Claude Léveillée

Les quelques exemples de relations affectives qui précèdent élargissent la description faite plus haut de la relation privilégiée de Pierre et Jean-Paul. On ne peut restreindre l'échange affectif aux quelques amis qui suscitent un engagement privilégié. Dans la vie quotidienne, chaque fois que Pierre se sent bien avec quelqu'un, chaque fois qu'il a plaisir à voir telle personne ou à causer avec elle, il trouve un appui qui l'aide à porter le poids du jour. Le registre affectif varie beaucoup d'une personne à l'autre. Les uns vivent plutôt seuls, les autres ont beaucoup d'amis. Dans l'ensemble cependant il semble que l'expérience *j'ai plaisir à te voir* soit un assaisonnement de la vie assez universel.

### 3. Je partage avec toi

Communiquer c'est prendre un risque. Le sentiment de chaleur, de sympathie ou de confiance peut permettre à Pierre de s'engager face à Jean-Paul ; il ne l'exempte pas cependant du risque de la communication. Se laisser vivre en présence d'une autre personne et lui ouvrir son monde intérieur, c'est en même temps devenir vulnérable et prendre le risque d'être heurté. Si Jean-Paul n'est pas disposé à entendre ce que je lui dis de moi, si je le rends anxieux, par exemple, ou défensif, il peut être incapable de porter ce que je lui communique. Il arrive alors que la communication échoue. Même dans une amitié vieille de dix ou quinze ans, cette issue de l'échange affectif demeure possible. Pierre vit donc le risque de la communication à chaque fois qu'il s'engage à partager avec Jean-Paul. C'est la raison pour laquelle l'ouverture de son monde intérieur, même si l'affection la facilite, demeure une entreprise périlleuse qui doit être objet de choix.

La capacité de choix, chez Pierre, apparaît comme une troisième dimension de l'amitié. Elle est aussi indispensable que les autres. Plus il développe sa maturité éthique, plus il devient capable d'amitié.

Un autre aspect du risque vécu par Pierre dans le partage affectif vient du fait qu'il ne sait pas toujours ce qu'il va partager. La communication ne consiste pas en effet à expédier à l'autre un contenu qui lui arriverait par la porte centrale, tout bien ficelé. Communiquer, c'est aussi se mettre en état de changement ; c'est prendre un sentier qui mène parfois dans des zones de soi encore peu explorées. L'expression *se laisser vivre devant l'autre* illustre aussi le risque que Pierre doit assumer au moment où il choisit de partager. La confiance qu'il manifeste alors à son ami ne consiste pas seulement à évaluer que ce dernier est capable de porter ce qu'il désire communiquer. Cela est relativement facile. La confiance qu'il doit avoir est aussi une confiance en lui-même : elle porte sur l'imprévu de ce qu'il découvrira en lui-même, s'il laisse son ami devenir un catalyseur de son monde intérieur. L'expérience vécue lorsqu'il se sent bien en présence de Jean-Paul l'incite à entreprendre le partage mais c'est au niveau de sa capacité de choix que se fait l'option.

> *Quand l'amour vous fait signe, suivez-le,*
> *Bien que ses voies soient dures et escarpées.*
> *Et lorsque ses ailes vous enveloppent, cédez-lui,*
> *Bien que l'épée cachée dans son pennage puisse vous blesser.*

*Et lorsqu'il vous parle, croyez en lui,*
*Malgré que sa voix puisse briser vos rêves comme le vent du nord saccage vos jardins.*

Quand l'amour vous fait signe
Gibran, Le prophète

L'option de partager est importante, car si Pierre s'engage dans une communication qu'il ne choisit pas, il risque de ne pouvoir en porter toutes les conséquences. S'il se laisse aller à des confidences malgré lui, il découvrira peut-être que communiquer, c'est aussi augmenter sa solitude, car plus je communique, plus j'ai accès à des zones de moi qui sont incommunicables. Si l'expérience de la solitude est vécue sans être choisie, elle peut laisser un arrière goût qui fait percevoir toute communication comme douloureuse et dangereuse. Si Pierre choisit cependant de partager, c'est l'indice qu'il est suffisamment en possession de lui-même pour faire face à la solitude et l'assumer comme un prix de sa liberté.

*...je crois que plus on communique profondément avec quelqu'un, plus on fait l'expérience de la solitude. Depuis que je t'aime, j'ai partagé beaucoup de choses avec toi, tu m'as fait connaître différents points de vue de penser et de vivre, quelques-uns que j'ai bien compris et acceptés, d'autres que je ne peux pas comprendre. J'ai découvert bien des choses nouvelles pour moi car tu es si différent de moi, et je pense que tu as fait la même chose. Mais plus je m'engage dans des sujets importants et essentiels pour moi, plus j'ai l'impression que je suis toute seule à penser comme ça, et toi aussi probablement. Crois-tu que ça aussi on puisse le réduire à rien comme l'attente? Crois-tu qu'un jour on puisse communiquer à un point tel qu'il n'y ait plus aucune distance?...*

Extrait d'une lettre

Pierre doit aussi développer sa capacité de choix pour intégrer sa capacité de plaisir et la maîtriser le cas échéant. L'exemple déjà apporté de l'amitié que Pierre développe pour sa soeur ou sa cousine illustre cette nécessité d'une maturité éthique. Pierre doit donc se situer au niveau des valeurs : comment veut-il intégrer sa sexualité ? Va-t-il la réserver au partage de la relation amoureuse, vécue à l'intérieur du mariage ? Va-t-il exprimer sexuellement l'affection qu'il a pour Josée, Françoise ou Eloïse, voir même pour Jean-Paul ? Aucune norme extérieure préétablie ne le dispense de faire des choix personnels à ce niveau. S'il n'est pas situé au plan éthique, il risque d'être continuellement soumis à des conflits de valeurs ; ou s'il agit sous la seule impulsion des dynamismes sexuel et affectif, il devra y mettre le prix de la culpabilité ou de la honte, signes d'une abdication dans sa capacité de choix. Ce qui a été dit au chapitre précédent concernant le recours aux normes extérieures s'applique également à l'expérience de l'amitié.

## 4. Je t'aime bien

Pierre, capable de se sentir libre en présence de Jean-Paul, de se plaire à son contact, et de partager avec lui, est devenu capable de dire *je t'aime bien.*

Les descriptions qui précèdent montrent cependant que l'amitié ne s'improvise pas et qu'elle se construit. Comme tous les autres aspects du développement humain l'expérience de l'amitié suit elle aussi le chemin de l'essai et erreur. Pierre, lorsqu'il choisit l'amitié et le risque de partager, choisit une forme d'intégration des trois composantes de l'expérience d'aimer. Le centre de gravité qui se situait au plan sexuel dans l'expérience *je t'aime,* se déplace cette fois vers la seconde composante. Le graphique déjà utilisé dans le chapitre précédent permet de visualiser le type d'intégration propre à l'expérience de l'amitié. L'amplitude de l'onde centrale marque la dominante :

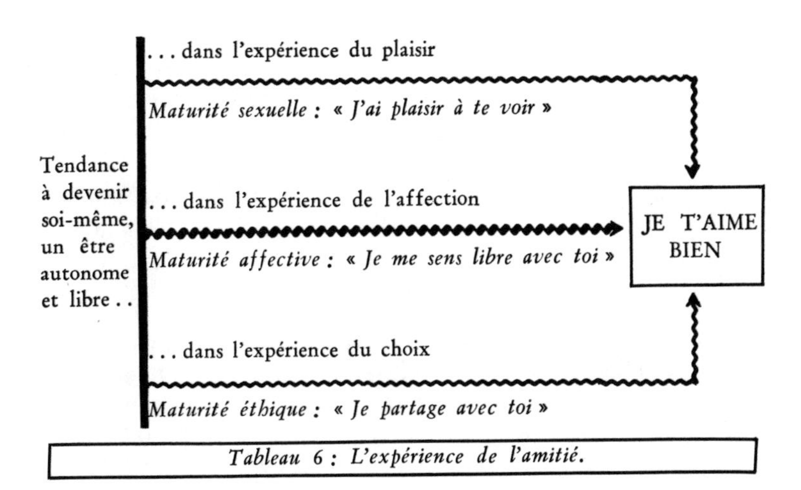

*Tableau 6 : L'expérience de l'amitié.*

Dans l'intégration de ces trois composantes des conflits peuvent surgir. Déjà on a vu Josée inviter Pierre à partager des plaisirs qui lui étaient inaccessibles, incapable qu'il était de dire à Josée *je t'aime*. C'est une expérience fréquente que cette confrontation des deux façons d'aimer que représentent les expressions *je t'aime* et *je t'aime bien*. Si Pierre aime bien Josée, que peut-il faire devant une déclaration d'amour à laquelle il est incapable de répondre ? Sans préjuger des choix de Pierre on peut mentionner trois issues.

Le premier choix qui s'offre à Pierre est de rompre la relation et de cesser toute rencontre avec Josée. Le prix de ce choix est un sentiment d'échec : échec pour Josée qui se sent abandonnée après avoir pris le risque de communiquer son amour ; échec pour Pierre aussi qui vit peut-être le sentiment de fuir une relation conflictuelle. Il semble que la peur des instincts ou un manque de liberté face à Josée entraîne souvent un tel choix.

Un second choix est de *jouer le jeu amoureux* et de s'engager dans un échange ou les mots *je t'aime* précèdent l'expérience. Le prix d'un tel choix peut être la honte ou la culpabilité : elle apparaîtra le jour où Josée, réalisant le jeu, reprochera à Pierre de l'avoir trompée. Si Josée est une femme adulte cependant, ayant un peu l'expérience de la vie et de l'amour, elle ne sera pas dupe. Elle refusera d'entrer dans un tel cul de sac.

Enfin un troisième choix est celui de la bataille. Pierre et Josée vivent chacun ce qu'il a à vivre, sans tricher avec ses sentiments et sans fausse culpabilité. Pierre devient certes une source de frustration continuelle pour Josée, mais s'il lui permet d'exprimer ses attentes et ses exigences amoureuses, même lorsque celles-ci prennent la voie de la violence ou de la méchanceté, le lien d'amitié peut se maintenir et progresser. A l'intérieur d'un tel choix, on peut entrevoir trois conclusions. Dans un premier cas, Pierre se rapproche de plus en plus de Josée et devient amoureux d'elle ; dans le second cas, Josée renonce à une lutte épuisante et devient l'amie de Pierre, canalisant peut-être éventuellement vers une autre personne ses élans amoureux ; il se peut enfin que la bataille se continue indéfiniment, Pierre et Josée vivant une drôle de relation, qui sera un mélange de *je t'aime, je t'aime bien, je te déteste, je partage avec toi, je te tuerais...* Relation qui, elle aussi, peut devenir un chemin vers l'autonomie de Pierre et de Josée.

*Je voudrais te dire combien je t'aime*
*Mais non avec les mots de tous les jours*
*Je voudrais pour toi faire un poème*
*Qui serait plus beau que l'amour.*

*Jusqu'à ce jour d'un voile d'amitié*
*J'ai couvert mon amour*
*Mais demain qui sait*
*Ce que sera ce jour*

*C'est nouveau pour moi d'aimer*
*Dans ce calme, cette sérénité*
*Je me demande avec anxiété*
*Si c'est l'amour ou l'amitié*

*Pour ne pas perdre ton amitié*
*Je canalise mon amour*
*Je ne peux donc vivre en entier*
*Ce qui en moi vivra toujours*

D'un voile d'amitié
Poème d'un auteur inconnu

CHAPITRE 5

# JE T'ACCOMPAGNE

L'amour ne se commande pas ! Cela est vrai si on pense à l'expérience *je t'aime* ou *je t'aime bien.* Tout au plus, peut-on affirmer que, s'il ne se commande pas, il se cultive, car ce sont les choix de Pierre qui peuvent le mener à terme. Par contre, si l'amour ne se commande pas, il fait quand même l'objet de commandements. Déjà, lorsque Pierre avait deux ans et qu'il tournait autour du berceau du petit frère, avec un air menaçant, sa mère lui disait : *il faut que tu aimes ton petit frère.* Il y a aussi l'Evangile chrétien qui est entièrement centré sur *le commandement de l'amour. Je vous donne un commandement nouveau, c'est que vous vous aimiez les uns les autres,* ou *aime ton prochain comme toi-même.* La formule impérative *aime* introduit donc une troisième façon de vivre l'expérience d'aimer.

On retrouve ici, comme toutes les fois que les mots *j'aime* sont prononcés, les trois composantes du plaisir, de l'affection et du choix. Cette fois l'intégration se fait davantage autour de la dimension éthique, mettant au premier plan la capacité de choix. Elle sera décrite en premier lieu sous le titre *je t'accueille*. Les deux autres composantes, celles du plaisir et de l'affection seront ensuite décrites respectivement sous les titres *tu me déplais* et *tu m'ennuies*.

## 1. Je t'accueille

Pierre est professeur et il reçoit à son bureau un élève qui ne suscite en lui ni plaisir ni affection. Il sait bien, d'un point de vue théorique, que la relation interpersonnelle qu'il établira est centrale pour le développement de cet élève. Or Ti-Jean, qui se présente à lui, n'a rien d'attirant ni physiquement ni psychologiquement : *Il n'est ni beau ni fin*. La question se pose : est-il possible de l'aimer sans tomber dans une caricature, ni galvauder les mots *j'aime ?* La réponse dépend du choix que Pierre fera d'accompagner cette personne. Comme on l'a vu cependant, la liberté de Pierre n'est pas absolue ; elle joue à l'intérieur de certaines limites que Pierre peut identifier et respecter dans les choix qu'il fait.

Une première condition de la relation d'accompagnement est l'estime de soi-même. Souvent, le *commandement de l'amour* a conduit à des caricatures, parce qu'on n'a pas assez considéré la seconde partie *comme toi-même*. L'attitude de méfiance à l'égard de la personne humaine a suscité une image de la charité qui semble s'exercer au détriment de celui qui la vit. C'est comme si, par exemple, Pierre devait choisir entre lui ou son interlocuteur. Face à Ti-Jean tout morveux, c'est comme s'il devait choisir de se sacrifier pour Ti-Jean, ou de sacrifier Ti-Jean pour son propre confort psychologique. Cette façon de poser le problème est fausse et contredit l'expérience de celui qui vit une véritable expérience d'accompagnement.

Si on pose le problème de la charité en termes de choix, un seul choix semble possible, celui de se choisir soi-même. On verra plus loin, sous le titre *tu me déplais,* comment peut se résoudre le dilemme que pose alors le commandement de l'amour. Retenons pour l'instant que celui qui pose un acte de charité authentique ne se renie pas, car il conserve toujours le sentiment de vivre une expérience dans laquelle il progresse vers l'autonomie.

L'expérience de la charité qui se loge à l'enseigne de l'expérience *j'aime* suppose l'authenticité. Lorsque Pierre se permet de vivre sans tricher les sentiments qu'éveille en lui la présence de Ti-Jean, il devient capable de faire le choix d'accueillir Ti-Jean. Il peut faire un tel choix dans la mesure où il a atteint une maturité éthique et dans la mesure où Ti-Jean est perçu comme un être en devenir, dont la valeur est incontestable. Evidemment, le passage du système de valeurs, bâti entre quatre murs, au test de la réalité dont Ti-Jean est l'occasion, ne se fait pas sans heurts ni sans douleurs. Ici comme ailleurs, l'expérience d'aimer suit le chemin de l'essai et erreur. Pierre a peut-être éprouvé beaucoup de satisfaction à lire tel philosophe qui lui parle du respect infini dû à la personne ; il est sans doute profondément d'accord aussi avec le psychologue qui lui montre comment chaque être humain est unique. Le test de Ti-Jean est plus brutal cependant : l'expérience un peu romantique, vécue entre deux pages de bouquin, fait place à une expérience spontanée qui se formule dans les termes *tu m'écoeures.*

Pierre semble loin de la charité lorsqu'il prononce intérieurement de telles paroles, mais c'est pourtant une bonne piste. On verra plus loin, sous le titre « tu me déplais », comment elle peut conduire à une expérience d'aimer qui soit authentique.

Une fois que Pierre a identifié son expérience négative face à Ti-Jean, il peut choisir de poursuivre la relation et de s'engager vraiment dans l'expérience « je t'accueille ». La maturité éthique de Pierre lui a peut-être donné l'occasion d'apprendre déjà que la découverte d'une personne, même en l'absence de l'extase amoureuse ou de l'amitié, est toujours une expérience comblante, qui ouvre à chaque fois un chemin nouveau vers la liberté. Face à Ti-Jean il peut donc choisir de se mettre à l'écoute du monde intérieur de son interlocuteur en étant certain d'y trouver de la beauté. C'est donc un lien de solidarité qui se crée, solidarité dans l'expérience de la vie et du cheminement vers la liberté.

Pour suivre le chemin de l'accompagnement, cependant, il y a un autre prérequis. Pierre peut dire *je t'accueille* dans la mesure où il peut dire *je crois en toi, je crois qu'il y a derrière ton visage morveux et tes manières grossières une source de vie qui peut devenir une fontaine rafraîchissante.*

Le commandement de l'amour peut ici rendre l'expérience de Pierre créatrice. L'engagement de tout lui-même à l'égard de Ti-Jean peut faire surgir la fontaine qui, sans cela, serait peut-être demeurée une source souterraine. L'invitation à aimer son prochain, même son ennemi, peut éveiller en Pierre une expérience authentique qui se formule par les termes *je t'accueille* ou *je te confirme.*

> *Mais lui, voulant se justifier, dit à Jésus : « Et qui est mon prochain ? » Jésus reprit : « Un homme descendait de Jérusalem à Jéricho, et il tomba au milieu de brigands qui, après l'avoir dépouillé et roué de coups, s'en allèrent, le laissant à demi mort. Un prêtre, par hasard, descendait par ce chemin : il le vit, pris l'autre côté de la route et passa. Pareillement, un lévite, survenant en ce lieu, le vit, prit l'autre côté de la route et passa. Mais un Samaritain, qui était en voyage, arriva près de lui, le vit et fut touché de compassion. Il s'approcha, banda ses plaies, y versant de l'huile et du vin, puis le chargea sur sa propre monture, le conduisit à l'hôtellerie, en disant : « Aie soin de lui, et ce que tu auras dépensé en plus, c'est moi qui le paierai lors de mon retour. » Lequel de ces trois, à ton avis, s'est montré le prochain de l'homme tombé aux mains des brigands ? » Il répondit : « Celui-là qui a pratiqué la miséricorde à son égard. » Et Jésus lui dit : « Va, et toi aussi, fais de même. »*
>
> Parabole du bon Samaritain
> Lc 10, 29-38

## 2. Tu me déplais

Malgré le choix de s'engager dans l'expérience *je t'accueille,* Pierre est quand même en présence d'un premier sentiment de rejet, face à Ti-Jean. Le remous de déplaisir que crée la présence de Ti-Jean heurte la capacité de plaisir chez Pierre, elle devient une force d'éloignement : *tu me déplais, tu m'écoeures, tu me dégoûtes.*

Le choix qu'a fait Pierre d'accueillir Ti-Jean l'empêche probablement d'exprimer à haute voix un tel remous, mais l'authenticité de la relation exige cependant qu'il puisse se le dire à lui-même sans honte et sans crainte. C'est l'estime qu'il a de lui-même et la confiance qu'il met dans le dynamisme de l'amour qui permet à Pierre de s'accepter ainsi, sans rien évacuer des sentiments qui l'habitent. Etant un être de plaisir, il vit face à Ti-Jean une frustration tout à fait normale. L'expérience de déplaisir en découle spontanément. S'il s'accepte dans tout son être, il peut accueillir l'expérience du déplaisir sans craindre d'être submergé par elle et sans renier les choix que lui propose le commandement de l'amour. Bien au contraire, c'est l'expérience non verbalisée qui mine le plus souvent le cheminement de l'amour ou de la charité.

L'obstacle vient souvent du fait que Pierre poursuit un idéal élevé au plan des valeurs. S'il n'est pas suffisamment conscient d'être un être de plaisir où s'il manque de maturité éthique, Pierre voit le dynamisme du plaisir comme une entrave à sa liberté. Il peut même subtilement renier les expériences qu'il ne peut assumer, et identifier *charité* avec absence de réactions émotives. Cela n'est pas réaliste : le manque d'authenticité qu'entraîne alors la valeur de la charité mal comprise constitue le véritable obstacle à la charité. Un ennemi non identifié est toujours plus menaçant et difficile à maîtriser qu'un ennemi bien en face qui vous tire dessus à bout portant. Si Pierre est capable de se dire intérieurement en face de Ti-Jean *tu m'écoeures,* il est plus apte à maîtriser cette expérience de déplaisir et à l'intégrer dans l'expérience plus centrale de l'accompagnement.

Pierre ne réussit pas toujours à verbaliser sur le champ les remous qui l'éloignent de Ti-Jean ou de Joseph. S'il établit, par ailleurs, une relation d'amitié, et accroît ainsi sa capacité d'affection, il peut développer cette aptitude à se laisser vivre devant une autre personne. Plus il a déjà été accueilli sans condition par Jean-Paul ou d'autres amis, plus il devient capable de s'accueillir lui-même sans condition. Il acquiert aussi la capacité de plonger résolument dans les remous du déplaisir sans crainte de s'y noyer. S'il n'a pas encore une telle virtuosité, il peut toujours demander l'aide d'un ami pour arriver à nommer ce qu'il vit face à Ti-Jean. Jean-Paul et Josée servent alors de catalyseurs et lui permettent de prendre conscience que ce qu'il vit face à Ti-Jean c'est bien « il m'écoeure ». Les mots ou les images qu'il utilise pour nommer ses émotions deviennent donc des harnais : sans diminuer la force de l'instinct, ils permettent à Pierre d'en disposer selon les choix qu'il fait. Une fois de plus, on constate que c'est le manque de maturité éthique ou le manque de confiance en soi qui rend l'instinct si menaçant, et non pas le fait que l'instinct soit un despote incontrôlable.

Etre capable de plaisir, c'est donc en même temps être capable de déplaisir. La maturité sexuelle, loin d'éliminer les frustrations, les rend plus profondes et plus douloureuses. Ce n'est qu'en développant une capacité de choix et une capacité d'affection proportionnées à sa capacité de plaisir que Pierre peut résoudre le dilemme que lui pose le commandement de l'amour, lorsqu'il est en face de Ti-Jean. L'être libre souffre certes autant, sinon davantage, que celui qui nie ses émotions, mais il ne souffre jamais au-delà d'un certain point, car il ne perd jamais le sentiment de diriger son propre devenir et de rester maître à bord.

> *Quand je parlerais les langues des hommes et des anges, si je n'ai pas la charité, je ne suis plus qu'airain qui sonne ou cymbale qui retentit. Quand j'aurais le don de prophétie et que je connaîtrais tous les mystères et toute la science, quand j'aurais la plénitude de la foi, une foi à transporter les montagnes, si je n'ai pas la charité, je ne suis rien. Quand je dis-*

*tribuerais tous mes biens en aumônes, quand je livrerais mon corps aux flammes, si je n'ai pas la charité, cela ne me sert de rien.*
*La charité est longanime ; la charité est serviable ; elle n'est pas envieuse ; la charité ne fanfaronne pas, ne se rengorge pas ; elle ne fait rien d'inconvenant, ne cherche pas son intérêt, ne s'irrite pas, ne tient pas compte du mal ; elle ne se réjouit pas de l'injustice, mais elle met sa joie dans la vérité. Elle excuse tout, croit tout, espère tout, supporte tout.*

Hymne à la charité
St-Paul 1 Co. 13, 1-8

Le dilemme rencontré par Pierre, *écoeuré par Ti-Jean,* mais déterminé à l'accompagner malgré tout, se résout donc dans l'acceptation du déplaisir et dans le choix lucide de passer outre. Pierre ne choisit plus entre Ti-Jean ou lui-même : il vit simultanément les deux expériences *tu me déplais* et *je t'accueille.* Il choisit alors de suivre le sentier que lui ouvre la seconde expérience, lorsqu'il s'engage dans une relation d'accompagnement.

### 3. Tu m'ennuies

Intégrer l'expérience du déplaisir face à Ti-Jean qui lui déplaît n'est peut-être pas le plus difficile pour Pierre qui choisit d'accueillir son interlocuteur. Une difficulté plus grave surgit lorsque l'antipathie apparaît. Est-il possible d'intégrer un tel sentiment dans une expérience authentique de charité ? Si en plus de me déplaire « tu m'ennuies », si tu n'éveilles en moi aucun attrait d'ordre psychologique, aucune affection, aucune chaleur, pas même l'estime ou la confiance, est-il possible encore de dire *j'aime* et de m'engager dans une expérience d'accompagnement ?

Pierre est ici en présence de l'obstacle le plus sérieux de la relation interpersonnelle. Même s'il prend conscience de cette difficulté en la verbalisant, même s'il parvient à dire à Jean-Paul *Ti-Jean m'ennuie à mourir,* il est loin d'être certain que son antipathie ira en diminuant. Il se peut même qu'un courant de ressac joue subtilement contre le choix qu'il fait d'accompagner Ti-Jean ou Joseph. Il peut être amené, s'il s'accepte comme un être limité, à s'éloigner affectivement de Ti-Jean ou de Joseph, compte tenu de son incapacité de neutraliser le virus de l'antipathie.

Le danger qui guette Pierre, surtout s'il n'a pas atteint la maturité éthique, est de décliner la responsabilité du ressac, l'attribuant à des forces mystérieuses ou à son interlocuteur qu'il classe dans la catégorie des gens antipathiques. En fait, il n'existe aucune personne antipathique ou détestable en elle-même. Ces termes désignent toujours une relation interpersonnelle et Ti-Jean ne peut être antipathique sans que quelqu'un ne vive en face de lui l'expérience de l'antipathie. Pierre peut identifier que contrairement à Jean-Paul, Ti-Jean ou Joseph sert de catalyseur à des expériences de rejets ; de là à rendre Joseph responsable de ses sentiments négatifs il n'y a qu'un pas. Mais Pierre, adulte, se l'interdit. Il est vrai que Joseph, par son comportement, est au moins l'occasion de l'antipathie que ressent Pierre. Il n'en reste pas moins vrai cependant que Pierre demeure entièrement responsable de ce qui surgit en lui. Même si l'antipathie est difficile à porter et devient un défi pour la capacité de se prendre en charge, elle reste quand même objet de choix. Le choix ne porte pas ici sur le fait de ressentir ou non cette antipathie, cela ne se choisit pas ; mais malgré cela Pierre peut encore choisir la façon de réagir à ce sentiment.

Devant Ti-Jean qui l'ennuie, plusieurs choix sont possibles. Un premier a déjà été mentionné, celui de l'éloigner et de rompre la relation interpersonnelle. Il peut être fait sans culpabilité si Pierre le fait au nom de ses limites personnelles. Ici plus qu'ailleurs, Pierre peut être tenté de choisir Ti-Jean à son propre détriment. Voulant vivre prématurément un idéal qui ne tient pas compte de son cheminement, il peut s'engager dans une expérience de volontarisme : il pose alors les gestes de la charité et de l'accueil mais la relation devient artificielle. Ti-Jean risque d'ailleurs de se sentir plus rejeté que si Pierre l'éloignait effectivement. Les circonstances de la vie imposent parfois des limites à l'authenticité et Pierre ne peut pas toujours interrompre une relation pour laquelle il ne se sent pas assez libre, mais cela relève aussi d'un choix. Les gestes de la charité, s'ils sont posés sans que l'expérience d'accueil domine les remous du déplaisir et de l'antipathie ne donnent pas plus la charité, que de faire l'amour ne donne le désir à celui qui ne l'a pas. Pierre devra donc porter les conséquences du choix qu'il fera.

*Pour faire une bonne dame patronnesse*
*C'est qu'il faut faire très attention*
*A ne pas se laisser voler ses pauvresses*
*C'est qu'on serait sans situation*

*Pour faire une bonne dame patronnesse*
*Il faut être bonne mais sans faiblesse*
*Ainsi j'ai dû rayer de ma liste*
*Une pauvresse qui fréquentait un socialiste*

*Pour faire une bonne dame patronnesse*
*Tricotez tout en couleur caca d'oie*
*Ce qui permet le dimanche à la grand-messe*
*De reconnaître ses pauvres à soi*

Les dames patronnesses
Chanson de
Jacques Brel

D'autres choix que l'éloignement s'offrent à Pierre. Dans certains cas, il peut choisir, à l'égard de Joseph qui lui est antipathique, de partager son expérience et d'associer Joseph à sa recherche d'une relation authentique. C'est un choix difficile qui demande une maturité éthique peu commune, car c'est quasi accorder l'hospitalité à celui qui vient de tuer un ami. Joseph est celui qui tue en quelque sorte le dynamisme affectif de Pierre ou le frustre profondément. Si Pierre partage quand même son expérience d'ennui avec celui qui en est l'occasion, il devient très vulnérable face à Joseph. Pour difficile qu'il soit, c'est un choix possible et il peut permettre à Pierre d'atteindre un degré très élevé de liberté. Il suppose cependant que Pierre soit vraiment convaincu que l'ennui ressenti face à Joseph est son problème à lui et non celui de Joseph ; autrement, Joseph se sentira jugé et rejeté ; il deviendra défensif, se culpabilisera peut-être, donnant bonne conscience à Pierre, mais sans l'aider à se libérer vraiment de l'ennui. Si, par ailleurs, Pierre réussit à communiquer son ennui sans que Joseph devienne défensif — cela dépend aussi de Joseph, cela va de soi — le partage crée un lien de solidarité qui peut même évoluer vers un lien d'amitié. Le risque est très grand par ailleurs, car Pierre et Joseph sont dans les pires conditions pour amorcer un tel lien, surtout lorsque les deux vivent réciproquement l'antipathie.

Un dernier choix s'offre à Pierre. Il n'est pas plus facile que les autres, mais il respecte l'authenticité et s'inscrit au nombre des chemins qui conduisent à la liberté. Il consiste à entrer en lui-même pour identifier et déloger les sources de son aversion pour Joseph ou Ti-Jean. L'aide de Jean-Paul, son ami, — voire même, dans certains cas, l'aide d'un ami spécialisé que l'on nomme thérapeute — lui sera peut-être nécessaire. Il est possible en effet que l'expérience d'antipathie soit l'expression d'une insécurité psychologique. En s'acceptant davantage lui-même, Pierre peut arriver à la déloger. S'il entre en lui à l'occasion d'une incapacité d'aimer Joseph, il peut découvrir, par exemple, que l'antipathie naît de ce que Joseph reflète des aspects de sa personnalité qu'il n'a jamais acceptés. Il découvre peut-être qu'il *déteste son semblable* en la personne de Joseph. A l'inverse, il découvrira peut-être que c'est l'envie qui alimente son antipathie, Joseph étant en quelque sorte celui que Pierre aurait voulu devenir. Peut-être que, plus simplement, il découvrira que Joseph réveille une expérience douloureuse du passé, vécue avec un autre Joseph, et qui n'a jamais été assumée. Enfin, quelle que soit l'issue de cette entrée en lui-même, Pierre y trouvera, si elle réussit, un surcroît d'autonomie et de liberté. Peut-être même que celui qui aura été l'occasion d'une telle libération deviendra significatif pour Pierre au point qu'il pourra lui dire un jour *je t'aime bien.*

Quels que soient les choix de Pierre, il conclura au terme de ces *aventures charitables,* où il se sera choisi jusqu'au bout, qu'un être libre est débarrassé des épines de l'indifférence et de l'antipathie, face à son prochain.

En dehors des cas où il choisit de mettre fin à sa relation avec Joseph, Pierre qui accompagne son interlocuteur réussit à neutraliser son ennui, son indifférence, voire même son antipathie face à lui. Il adopte alors une disposition intérieure qu'il exprime par les termes : *je t'écoute,* c'est-à-dire je suis en état d'écoute, devant toi, essayant de saisir la réalité dont tu me parles, telle que toi tu la vis, à travers ta propre subjectivité. Cet état d'écoute, dans la mesure où il est perçu par Ti-Jean, ou Joseph, amorce un échange où progressivement Pierre est introduit dans le monde intérieur de son interlocuteur. Si celui-ci est trop théorique et ne parle pas vraiment de lui, Pierre l'encourage à dire ce qu'il ressent vraiment et à passer des généralités ennuyantes à un dialogue authentique où le nombre de *je* augmente à mesure que se crée la confiance réciproque. Par son attitude d'écoute et de respect pour l'autre, Pierre crée lui-même les conditions qui dissipent l'ennui.

L'expérience d'une charité authentique, motivée au début par une valeur abstraite, peut devenir une expérience d'accompagnement. En plus de dire je t'accueille, je te confirme ou je crois en toi, Pierre peut ajouter *je suis avec toi,* et *je t'accompagne.* Le fait d'être l'occasion d'une libération pour Ti-Jean ou Joseph alimente chez lui un sentiment de solidarité qui a son prix.

### 4. Je t'accompagne

Pour paradoxal qu'il soit, le commandement de l'amour a permis à Pierre de s'engager dans l'expérience de l'accueil et de progresser sur le chemin de la liberté. Il est devenu capable de dire simultanément *tu me déplais, tu m'ennuies,* mais *je choisis quand même de t'accompagner, de te découvrir progressivement comme un être unique de qui je suis solidaire.*

Comme tout commandement, cependant, celui de l'amour demeure une invitation. Ce n'est que dans la mesure où il le fait sien librement que Pierre vit une charité authentique. L'autre n'est pas une simple occasion de *gagner des mérites,* mais un interlocuteur valable qui se sent profondément accepté de celui qui l'aime ainsi.

On peut résumer l'expérience de Pierre qui s'engage dans l'accueil total de l'autre au moyen du graphique déjà utilisé. L'onde principale est ici la maturité éthique qui rend Pierre capable de choisir l'accompagnement malgré le déplaisir et l'ennui. Les deux autres composantes sont aussi présentes, car pour aimer ainsi son prochain, Pierre doit développer et intégrer sa capacité de plaisir et d'affection, pour identifier correctement les frustrations qui leur font obstacle.

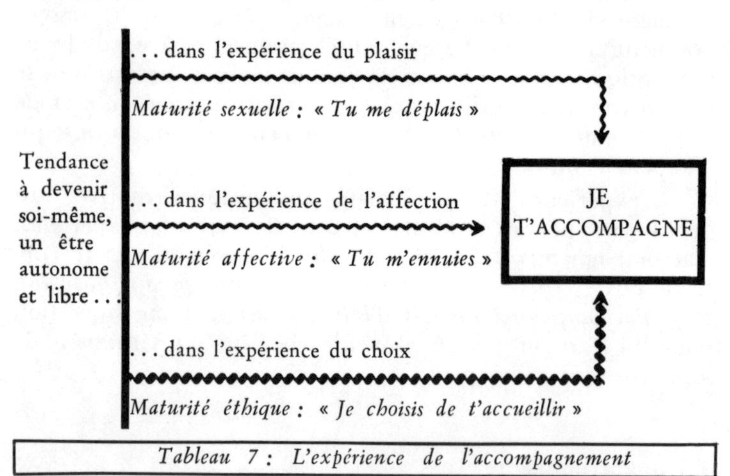


*Tableau 7 : L'expérience de l'accompagnement*

Il peut sembler abusif d'inclure la capacité de plaisir et d'affection dans l'expérience de Pierre qui choisit d'accompagner Ti-Jean ou Joseph, mais telle est cependant la réalité. D'une part la maturité sexuelle et affective permettent de reconnaître et d'identifier les expériences du déplaisir et de l'antipathie dans le choix qu'il fait d'accueillir son interlocuteur, mais il y a plus que cela. On peut penser, en effet, que si Pierre n'a jamais apprivoisé et intégré sa capacité de plaisir, la frustration face à Ti-Jean ou Joseph lui deviendra intolérable. Cette affirmation semble contredire un préjugé courant selon lequel plus un individu vivrait le plaisir, plus il deviendrait égoïste, centré sur lui-même et exigeant, au point de ne plus pouvoir supporter la frustration. Cela est possible et le préjugé s'enracine probablement dans des faits observés, mais la généralisation est abusive. De toute façon, l'incapacité de porter la frustration ne dépend pas de la maturité sexuelle comme telle, mais vient plutôt du fait qu'une recherche continuelle de plaisir retarde le développement de la capacité de choix.

De même, au plan affectif, plus un individu est capable d'affection intense et d'amitié profonde plus il peut supporter la frustration de l'ennui ou de l'antipathie. On a déjà vu que la capacité d'amitié est une ressource qui permet à Pierre d'intégrer l'expérience d'ennui ou d'antipathie face à celui qu'il veut accompagner.

Enfin, s'il est vrai que l'amour et l'amitié sont une source de libération et d'autonomie, ils augmentent la capacité de choix et la maturité éthique. Ils augmentent donc par le fait même la capacité de charité de Pierre.

En terminant ce chapitre, il peut être utile d'élargir le sens du terme charité, tel qu'utilisé ici. Le christianisme qui a répandu la notion de charité ne la restreint pas à l'expérience décrite par les termes *je t'accueille* ou *je t'accompagne.* Une telle relation semble exigée de tout chrétien, mais elle apparaît comme un minimum. Le sommet de la charité chrétienne semble en effet se situer dans l'expérience d'amitié. D'une part, les relations du Christ avec ses contemporains semblent s'établir sous le signe de l'amitié : *Pierre m'aimes-tu?, Le disciple que le Seigneur aimait, Lazarre mon ami,* etc.

Les disciples immédiats du Christ se reconnaissaient aussi au signe de l'amitié, si on en juge par cette expression des actes des Apôtres : *Voyez comme ils s'aiment.* On peut conclure que l'Evangile chrétien propose des exigences progressives : il exige, en premier lieu, de tout chrétien qu'il assume sa responsabilité face à l'autre, s'interdisant de le rendre responsable de sa propre incapacité d'aimer : il l'invite ensuite à accompagner son prochain quel qu'il soit, et à se libérer au point d'évacuer les épines de l'antipathie et de l'ennui ; enfin, il lui propose comme idéal de charité l'expérience de l'amitié. Le chrétien type apparaît comme celui qui pourrait dire à son prochain *je t'aime bien :* « C'est à l'affection que vous aurez les uns pour les autres que l'on verra que vous êtes des chrétiens. »

> *Arrivée à l'endroit où était Jésus, Marie, dès qu'elle l'aperçut, se jeta à ses pieds et lui dit : « Seigneur, si tu avais été là, mon frère ne serait pas mort ! » Quand il la vit sangloter, et sangloter aussi les Juifs qui l'accompagnaient, Jésus frémit intérieurement. Troublé, il demanda : « Où l'avez-vous mis ? » Ils lui dirent : « Seigneur, viens et vois. » Jésus pleura. Les Juifs dirent alors : « Comme il l'aimait ! »*

Jésus et Lazare
Jean 11, 32-37

CHAPITRE 6

# LES CHEMINS DE L'AMOUR

Les descriptions des chapitres précédents ont suivi Pierre sur les chemins de l'expérience amoureuse, de l'amitié et de l'accompagnement. Les trois façons de dire *j'aime* présentent trois façons d'intégrer les dynamismes du plaisir, de l'affection et du choix. Selon que le premier émerge dans l'expérience de Pierre, il peut dire à Marie *Je t'aime,* selon que l'affection et le partage occupent le centre de la relation il prononce les mots *je t'aime bien ;* et selon qu'il choisit d'accueillir un interlocuteur à l'égard de qui il n'éprouve ni plaisir ni affection, il traduit son expérience par les mots : *Je t'accompagne.*

Les descriptions présentées semblent typiques d'une certaine façon dans le développement du besoin d'aimer et d'être aimé. Elles n'épuisent certes pas la réalité de l'amour. Elles ne tiennent pas compte en particulier de l'avant et de l'après. Le dernier chapitre essaie de combler cette lacune : sous le titre *les chemins de l'amour* il décrit l'évolution de l'expérience d'aimer. Un tableau résume d'abord les éléments décrits dans les chapitres précédents puis l'évolution dans le temps de chaque expérience est présentée sous les titres *Je ne t'aime plus, Je te suis fidèle,* et *Je te découvre.*

*Les amoureux qui se tiennent la main*
*On les voit sur les quatre chemins*
*Que l'amour a dessinés pour eux*
*Comme un peintre des jours heureux*
*S'ils ont choisi le premier*
*Semé de fleurs d'été*
*Leur amour ne vivra pas plus loin*
*Que la rose au matin*
*Le deuxième les mène au pays*
*Où le rêve se change en folie*
*Le troisième est un faux paradis*
*Qui se perd aux rives de l'oubli*
*Mais s'ils veulent s'aimer pour demain*
*Il ne leur reste plus qu'un chemin*
*C'est celui du jour et de la nuit*

Les quatre chemins de l'amour
Chanson de E. Mornay

## 1. Les éléments de l'expérience d'aimer

Le tableau qui suit présente les principales caractéristiques des trois composantes de l'amour pour chacune des situations déjà décrites sous les titres *je t'aime, je t'aime bien,* et *je t'accompagne.*

| | | JE T'AIME | JE T'AIME BIEN | JE T'ACCOMPAGNE |
|---|---|---|---|---|
| Tendance à devenir soi-même, un être autonome et libre . . . | . . . dans l'expérience du plaisir | *« Je veux que tu sois à moi »* | *« J'ai plaisir à te voir »* | *« Tu me déplais »* |
| | . . . dans l'expérience de l'affection | *« C'est avec toi que je me sens bien »* | *« Je me sens libre avec toi »* | *« Tu m'ennuies »* |
| | . . . dans l'expérience du choix | *« Je m'abandonne »* | *« Je partage avec toi »* | *« Je t'accueille »* |

*Tableau 8 : Les éléments de l'expérience d'aimer*

La présentation des neufs éléments qui constituent le tableau permet de nuancer l'expérience d'aimer de chacun. Jusqu'à présent, chaque élément a été décrit à l'intérieur d'une intégration particulière. Aucun de ces éléments cependant n'appartient de façon exclusive à telle forme d'amour. Plutôt que de fixer l'expérience de Pierre ou de Marie sous l'une ou l'autre des étiquettes proposées, on peut maintenant décrire son expérience d'aimer comme une succession de moments. Les neuf éléments du tableau deviennent des unités qui se succèdent dans un ordre très varié et impossible à prédire.

C'est la concentration d'un certain nombre d'éléments dans une période de la vie de Pierre qui lui fait dire *je suis amoureux, je développe une amitié,* ou *j'accompagne.* Ainsi, Pierre qui aime Marie vit plus fréquemment les moments où son expérience se traduit par les termes *je veux que tu sois à moi, c'est avec toi que je me sens bien,* et *je m'abandonne.* Les moments où il vit simultanément ces trois expériences se traduisent parfois dans l'expression *je t'aime.* La concentration et l'intensité de ces moments dans telle période de sa vie constituent l'expérience amoureuse. En fait, le déroulement quotidien de cette expérience est très varié. Tous les autres éléments peuvent y apparaître, y compris les moments identifiés par les termes *tu me déplais,* ou *tu m'ennuies.*

La même variété apparaît dans la relation d'amitié et dans la relation d'accueil. Aussi paradoxal que cela puisse paraître, le moment *je te désire* peut aussi être vécu dans la relation d'accompagnement où l'ensemble de l'expérience est sous le signe du déplaisir. Toutes les combinaisons d'éléments semblent en effet possibles et les chemins de l'amour échappent aux catégories psychologiques les plus nuancées. Les quelques chemins décrits dans le texte qui suit apportent seulement quelques exemples de cheminement. Chaque lecteur peut compléter la description en traçant son propre chemin.

## 2. Je ne t'aime plus

Pierre a d'abord aimé Marie comme on aime une soeur. Toute leur enfance et leur adolescence se vit dans le sentier de la camaraderie et de l'amitié. Puis, un jour, Gérard, un copain de Pierre, invite Marie au cinéma. Pierre est triste et seul : il passe une soirée exécrable. Il dort mal, fait de mauvais rêves, se réveille souvent : il vit quelque chose de nouveau qu'il parvient mal à identifier. Puis, soudain, entre deux périodes de sommeil agité, il parvient à nommer son expérience : *Je suis jaloux*. Il prend conscience que, depuis quelques semaines, il chemine sur un sentier nouveau avec Marie. La jalousie qu'il ressent maintenant lui permet d'identifier l'expérience amoureuse qu'il vit déjà, il s'en souvient maintenant, depuis ce jour où Marie le regardait avec une telle intensité que gêné, il a détourné le regard.

Vient ensuite la déclaration où Pierre et Marie choisissent de suivre le sentier des amoureux : *C'est avec toi que je me sens bien*, se confient-ils l'un à l'autre. Plus tard, le choix est fait de façon plus définitive : *Je veux que tu sois à moi ; veux-tu que nous vivions ensemble ?* Ce fut un oui qui donna à Pierre et à Marie la liberté de vivre jusqu'au bout l'expérience *je t'aime*.

Ils ont vécu leur amour en toute liberté. Mais, aujourd'hui, l'intensité n'est plus qui faisait souhaiter *une éternité d'amour*. On ne sait pas bien ce qui s'est passé, mais, depuis un mois ou deux, les moments d'impatience et même de déplaisir ou d'ennui apparaissent plus nombreux dans la relation de Pierre et de Marie. Il y a quelque chose de changé : *ce n'est plus comme avant entre nous deux*.

*Je sais bien que depuis quelque temps*
*Quand tu dors dans mes bras*
*Tu t'en vas par instant dormir*
*Dans des bras inconnus*
*Mais je n'ai jamais pu*
*Découvrir le moment*
*Où tu me quittes lâchement*
*En continuant de sourire.*

*Ce n'était pas comme ça*
*Y a un an aujourd'hui*
*Y a un an on s'aimait*
*Maintenant on se fuit*

*Je sais bien que depuis quelque temps*
*Quand tu fermes les yeux*
*Je ne sais si c'est moi ou l'autre*
*Que dans tes bras tu serres*
*Tu maquilles en plaisir*
*Ce qui fut une joie*
*A ce bonheur déjà mort*
*Dont tu hésites à te défaire*

*Et seul pendant que dans mes bras*
*Tu me trompes déjà avec un inconnu*
*Qui compte plus que moi*
*Je cherche à raisonner*
*A comprendre pourquoi*
*Ce n'était pas comme ça*
*Y a un an aujourd'hui*

Un an aujourd'hui
Paroles de Michel Conte

Il n'est pas facile de suivre l'expérience de Pierre qui arrive à la conclusion lucide *je ne t'aime plus ;* d'autant plus difficile que le cheminement de Pierre et celui de Marie peuvent être très différents à cet égard. Dans la description de la relation amoureuse, l'on supposait toujours une réciprocité chez Marie. Tel n'est pas cependant le seul chemin de l'expérience amoureuse ; peut-être même n'est-il pas le plus fréquent. Pierre peut devenir amoureux, par exemple, d'une femme qui ne peut lui répondre *je t'aime.* Marie, la femme que Pierre aime vraiment, est elle-même amoureuse de Jean-Paul, ou elle est déjà engagée. Pierre vit alors une expérience qu'il formule douloureusement par les termes *tu ne seras jamais à moi.* Si Pierre, au contraire, a eu la chance de s'entendre dire *je t'aime* par la femme qu'il aimait, il est maintenant au seuil d'une expérience aussi douloureuse que celle d'un refus initial, lorsqu'il s'entend dire *je ne t'aime plus.*

Pourquoi l'amour cesse-t-il ? Il ne semble pas y avoir de réponse simple, mais en renversant la question, il peut être plus facile d'apporter quelques éléments. Qu'est-ce qui permettrait à l'amour de résister à l'usure du temps ? La réponse qui surgit de l'expérience de Pierre, de Marie, de Josée, de Gérard et de milliers d'amoureux est que cela n'est pas possible. Pierre peut arriver à le comprendre, mais aura-t-il une capacité de choix suffisamment développée pour choisir la mort qui s'impose ? C'est pourtant la seule issue qui lui permette de progresser vers le pays de la liberté. L'amour semble perdre en durée ce qu'il apporte en intensité ; la routine quotidienne plus que tout semble le miner progressivement. Ajoutons que l'attrait physique qui joue une part importante dans l'expérience amoureuse *dure ce que durent les roses,* car les roses, on ne peut les cueillir sans qu'elles fanent rapidement.

A mesure que le plaisir perd de son intensité, Pierre peut s'engager plus avant sur le chemin de l'amitié et modifier sa relation avec Marie. Tant que durait l'intensité amoureuse, Pierre était si bien avec Marie qu'il négligeait facilement de partager avec elle et d'élargir son registre affectif. C'est le dynamisme de l'affection qui lui permettra maintenant de s'installer plus définitivement au pays de la liberté.

Ce pays de la liberté semble situé dans les hauteurs. L'escalade rapide du pic des amoureux y donne accès, mais la montée est périlleuse. Il faut y aller à deux en se liant de façon très étroite, car, autrement, on s'y casse le cou dans les crevasses du désespoir. Pour retrouver le pays de la liberté dont l'expérience amoureuse lui a donné un avant-goût, Pierre doit découvrir les sentiers plus sinueux et plus lents de l'amitié, de même que ceux de la solitude, dans sa relation avec Marie. S'il accepte et choisit la mort du lien amoureux, lorsqu'elle se présente, il peut encore dénicher les chemins de l'affection et s'y engager plus avant avec Marie. Sans exclure le retour des moments amoureux, la relation de Pierre et Marie est désormais beaucoup plus marquée par les moments de la relation *je t'aime bien.* S'ils choisissent de demeurer ensemble, Pierre et Marie connaîtront peut-être l'expérience décrite sous le titre *je te suis fidèle.*

### 3. Je te suis fidèle

Que ce soit à la mort du lien amoureux ou dans sa relation d'amitié avec Jean-Paul, si Pierre s'engage dans l'expérience du partage, il peut découvrir ce que le proverbe exprime, « *L'amitié c'est comme un bon vin, plus elle vieillit, meilleure elle est* ».

S'il est vrai que l'expérience amoureuse est courte, parce qu'elle retarde le partage affectif, on comprend que l'amitié, vécue sous le signe du partage, crée des liens qui eux résistent à l'usure du temps.

La fidélité n'appartient pas à la relation amoureuse et les promesses d'éternité ne peuvent donner le change à Pierre ou Marie. Elle n'est pas liée non plus à l'échange sexuel comme tel. Il se peut qu'au plan des valeurs, Pierre et Marie réservent l'échange sexuel à leur intimité conjugale, mais cela ne suffit pas à garantir leur fidélité. Il ne suffit pas non plus de jurer fidélité. La fidélité promise peut guider les choix de Pierre et de Marie, mais, sans un partage continuel, cette fidélité sera sans cesse menacée.

La fidélité appartient au lien d'amitié et se présente comme une fidélité à soi-même autant qu'une fidélité à l'autre. Dans le partage qui conduit Pierre et Jean-Paul, par exemple, à se dire l'un à l'autre : *je suis libre avec toi,* et même *je suis libre face à toi,* il n'y a aucun germe de rupture. Dans la relation amoureuse qui vieillit Pierre peut avoir parfois l'impression d'être enchaîné, ce qui peut contribuer à l'acheminer vers l'expérience *je ne t'aime plus.*

Dans sa relation avec Jean-Paul, il n'y a rien de tel. Pierre devient de plus en plus lui-même : il est engagé sur un sentier qui exige l'autonomie et la liberté intérieure ; c'est un chemin qui s'élargit de plus en plus. En choisissant l'amitié, Pierre se choisit lui-même. Plus il se choisit, plus l'ami qui l'aide à se prendre en charge devient un être significatif. Le sentiment de fidélité qui en découle est une garantie beaucoup plus certaine que toute promesse de fidélité. Pierre n'a rien à promettre, il prend conscience d'une expérience qu'il vit dans le moment présent lorsqu'il dit *je te suis fidèle.*

Cette description de l'expérience de fidélité ne signifie pas que la relation se vit sans heurts ni sans détours. Ici, comme ailleurs, Pierre est sur le chemin de l'essai et de l'erreur. D'ailleurs, la fidélité ne semble pas le lot d'une amitié naissante. Celle-ci peut même être fragile au point de ne pas résister aux moments d'impatience et d'incompréhension qui jalonnent toute relation interpersonnelle. Si le choix de partager ces moments difficiles est maintenu, de même que la capacité de porter ensemble les risques de la communication, on peut prédire que l'amitié grandira, faisant feu de tout bois : c'est alors seulement que la fidélité deviendra une réalité.

Pierre vit une amitié vieille de quinze ans. Son ami est un *traditionnaliste.* Il aurait tout pour condamner le cheminement personnel de Pierre qui, dans sa vie, menace continuellement les valeurs de son ami. Plusieurs fois, Pierre et Jean-Paul se sont heurtés ; ils se sont fait mal à leur insu ; ils se sont même éloignés au plan des valeurs, chacun suivant son propre chemin. Leur amitié étonne des observateurs extérieurs ; elle est de fait difficile à comprendre. Et, pourtant, ils sont fidèles l'un à l'autre. La vie les a séparés ; ils vivent dans des continents différents. Ils ne s'écrivent pas beaucoup et ne se croient jamais obligés de répondre aux lettres occasionnelles qui arrivent on ne sait trop pourquoi. Elles arrivent chaque fois comme une source nouvelle qui montre que l'eau circule même sous le terrain le plus désertique. Lorsqu'ils se rencontrent, une ou deux fois par année, c'est comme s'ils s'étaient quittés la veille, reprenant parfois une conversation qui s'était terminée, six mois plus tôt, sur des points de suspension ou sur un point d'interrogation. Ils sont comme le jour et la nuit, mais aucun ne veut qu'il fasse toujours nuit ni que le soleil soit toujours en plein ciel. Ils sont différents et heureux de l'être. Chaque rencontre est pour l'un et l'autre l'occasion de faire le point dans sa quête d'autonomie et de liberté. Ils ont appris ensemble à devenir libres, en particulier, l'un à l'égard de l'autre. Chacun sait par ailleurs qu'il peut compter sur l'autre : ils ne parlent jamais de fidélité, ils sont fidèles l'un à l'autre.

La fidélité, d'un autre point de vue, peut aussi faire l'objet d'un choix et servir de guide à l'expérience de l'amitié. Elle lui permet alors de franchir les obstacles de l'essai et erreur. La valeur de la fidélité, perçue par Pierre comme un moyen de construire l'amitié, facilite son choix de partager, malgré le risque que cela comporte. Même si l'expérience de la fidélité, telle que décrite plus haut, n'apparaît que lentement et progressivement, Pierre peut dire alors, de façon authentique : *je te suis fidèle* ou *tu peux compter sur moi.* Il en est de même dans sa relation avec Marie. Il peut s'engager par choix, lui disant non seulement *je te suis fidèle* mais *je te serai fidèle quoi qu'il arrive.* La valeur d'un foyer à construire, par exemple, pourrait motiver un tel choix et mener très loin sur le chemin de la liberté, celui qui respecte cet engagement de fidélité.

*Je choisis mon amour de t'aimer*
*Pour le combat des jours*
*Et pour que dure notre amour*
*Contre vents et marées*
*Envers et contre tout*
*Et contre moi surtout*
*Sait-on jamais si l'amour*
*Va durer le temps qu'il faut*
*Pour faire l'amour*
*Pour faire aussi la vie*
*Sans masque ni détour*
*Mais chaque jour*
*Je te choisis*
*Je te reprends pareil*
*A nos premiers combats*
*A nos premiers ébats*
*Sait-on jamais si demain*
*Nous pourrions nous aimer*

*Encore une fois*
*Et tout autant encore*
*Seuls avec nos deux corps*
*Pour habiter tout l'univers*
*Pour défaire le noeud*
*Qui serre la mémoire*
*Et refaire le voeu*
*Sait-on jamais si les mots*
*Seraient les mêmes*

J'ai choisi de t'aimer
Paroles de Georges Dor

Les événements de la vie peuvent cependant amener Pierre à reviser ses engagements et toute promesse de fidélité comporte un élément de risque que l'adulte n'hésite pas à reconnaître. L'adolescent, au contraire, qui n'est pas sûr de lui, cherche plutôt à se convaincre que rien ne pourra jamais ébranler sa fidélité. La vie se charge le plus souvent de le convaincre du contraire et de dissiper l'illusion.

Il n'est pas rare de rencontrer l'infidélité là précisément où les promesses étaient les plus absolues ; ce qui ne les empêchaient pas d'être les plus sincères, par ailleurs. L'adulte, qui sait les imprévus de la vie, accepte la possibilité du provisoire. Il n'a pas l'impression d'être moins engagé pour autant dans ses promesses. Bien au contraire, il mesure davantage sa responsabilité et c'est déjà l'indice d'une sécurité qui peut être la source d'une véritable fidélité. Combien de liens, par exemple, ont été sauvés parce que les intéressés ont accepté de les remettre en question. Même dans des cas de divorces et de séparations, un lien peut être sauvé si les deux conjoints participent vraiment à la décision qu'ils perçoivent comme la plus adéquate, compte tenu de leurs limites respectives.

La fidélité n'apparaît donc pas comme une décision volontariste qui sacrifie la prise en charge de soi à des normes sociales ou religieuses, mais comme le respect d'une réalité qui ne demande qu'à se poursuivre : celle de l'amitié.

### 4. Je te découvre

En dehors de la relation *je t'aime* et *je t'aime bien,* la question de la fidélité ne se pose guère. Face à Ti-Jean ou à Joseph, Pierre ne parle pas de fidélité ou d'infidélité. Il y a rarement continuité, en effet, dans la relation *je t'accompagne.* Cette relation a pourtant son cheminement original.

Déjà au chapitre précédent, on a considéré un certain nombre de choix qui s'offrent à Pierre lorsque Joseph l'ennuie ou lui est antipathique. Tous ces choix ont quelque chose de pénible, car la relation est privée du support affectif minimum. Elle se développe presque uniquement sous l'impulsion des choix que fait Pierre au nom de la charité. Comme toute relation interpersonnelle authentique cependant, si elle se prolonge, elle évolue. Elle peut même devenir très significative.

Il est possible, par exemple, que l'effort de libération entrepris par Pierre pour maintenir l'accueil de Ti-Jean ou de Joseph, le conduise progressivement à la découverte de la personne qu'il choisit d'accompagner. Dans l'expérience que Pierre formule par les mots je te découvre, il exprime qu'il s'est bien choisi lui-même dans l'option qu'il a faite d'accompagner Ti-Jean ou Joseph.

On voyait déjà au chapitre précédent que cette relation d'accompagnement peut se transformer et s'orienter progressivement vers une relation d'amitié. Le cas est peut-être exceptionnel, mais de toute façon, dans l'expérience d'accompagner quelqu'un, Pierre apprend beaucoup sur lui-même.

Etant attentif à ce qu'il vit face à Ti-Jean ou Joseph, il peut découvrir des aspects nouveaux de sa personnalité. Il découvre, par exemple, qu'il devient défensif face à des réalités que lui présente son interlocuteur ; il découvre peut-être qu'il croit ou ne croit pas vraiment en celui qui souffre de difficultés psychologiques. Il vit peut-être l'expérience d'être démuni devant la souffrance d'un autre. Il peut évaluer son seuil de tolérance face aux apparentes absurdités de la vie. Bref un interlocuteur, tel que Joseph, sert de catalyseur, et, malgré l'effort qu'il doit y mettre, il peut découvrir des zones de sa personnalité qu'aucun de ses amis ne pourrait lui faire découvrir. Il poursuit ainsi dans la relation d'accompagnement, son propre chemin de libération et peut dire en même temps que *je te découvre, je me découvre.*

Par l'attention qu'il apporte aussi à l'expérience de son interlocuteur, Pierre se met en plus à l'école de la vie. Mieux que n'importe quel ouvrage de psychologie ou de philosophie, l'attention au vécu d'une autre personne peut donner une connaissance de l'être humain. Celui qui s'engage souvent dans une telle expérience d'accompagnement, peut très vite devenir une sorte de sage, libéré des jugements absolus, capable d'accepter la réalité humaine telle qu'elle est : il s'engage dans une solidarité de fond avec chacun de ses semblables.

*Quand les hommes vivront d'amour*
*Il n'y aura plus de misère*
*Et commenceront les beaux jours*
*Mais nous nous serons morts mon frère*

*Quand les hommes vivront d'amour*
*Ce sera la paix sur la terre*
*Les soldats seront troubadours*
*Mais nous nous serons morts mon frère*

*Dans la grande chaîne de la vie*
*Où il fallait que nous passions*
*Où il fallait que nous soyions*
*Nous aurons eu la mauvaise partie*

*Mais quand les hommes vivront d'amour*
*Il n'y aura plus de misère*
*Peut-être songeront-ils un jour*
*A nous qui serons morts mon frère*

*Nous qui aurons aux mauvais jours*
*Dans la haine et puis dans la guerre*
*Cherché la paix cherché l'amour*
*Qu'ils connaîtront alors mon frère*

*Dans la grande chaîne de la vie*
*Pour qu'il y ait un meilleur temps*
*Il faut toujours quelques perdants*
*De la sagesse ici-bas c'est le prix*

Quand les hommes vivront d'amour
Paroles de Raymond Lévesque

Extérieurement, on peut croire que c'est Ti-Jean ou Joseph qui bénéficie le plus de la relation d'accompagnement, mais l'expérience de Pierre contredit cette apparence trompeuse. Ti-Jean a peut-être l'impression d'être en dettes à l'égard de Pierre qui l'écoute pendant des heures. Pierre, de son côté, a plutôt l'impression d'être largement rémunéré par l'expérience qu'il résume dans les termes *je te découvre* et *je me découvre.*

## 5. Je deviens libre

Le thème de fond des descriptions psychologiques qui précèdent est celui de la liberté. Animé par sa tendance à devenir lui-même, un être autonome et libre, on a vu Pierre développer cette liberté dans l'expérience du plaisir, de l'affection et du choix, pour atteindre progressivement la maturité sexuelle, affective et éthique. On l'a vu également intégrer ces trois dynamismes de façon à pouvoir dire à Marie *je t'aime.* On l'a vu parcourir le chemin de l'amitié, pouvant dire à un nombre croissant de personnes : *je t'aime bien.* On l'a vu vaincre les obstacles du déplaisir, de l'ennui ou de l'antipathie face à Ti-Jean ou à Joseph qu'il choisissait d'accompagner.

On peut conclure que, dans la mesure où toutes ces expériences d'aimer seront vécues pleinement, elles conduiront toutes au même pays de la liberté. Pierre qui était fait pour aimer et être aimé sentira que, grâce à l'amour, vécu sous toutes ses formes, il devient de plus en plus en possession de lui-même. La conclusion sera *je deviens libre.*

A mesure que s'approfondira cette expérience de liberté intérieure, les épines de l'envie, de l'indifférence, de l'attente ou de la jalousie feront place de plus en plus à la rose. Au pays de la liberté, en effet, il n'y a plus comme tel ni relation amoureuse, ni relation d'amitié, ni relation d'accompagnement, il n'y a que des êtres qui s'aiment, les chemins de l'amour se déroulant dans un concert de moments amoureux, de moments d'amitié, et de moments d'accueil. Au pays de la liberté, Pierre peut dire à Marie *je suis amoureux en ta présence, ton ami lorsque tu n'es pas là,* et *je t'accueille lorsqu'on se heurte.* Il vit l'amour sans l'ennui, l'amitié avec sa solitude, et devient capable de dire à chacun de ses semblables *je suis prêt à partager avec toi tout ce que ma solitude ne retient pas, y compris cette solitude qui est le prix de ma liberté.*

*Pour avoir si souvent dormi*
*Avec ma solitude*
*Je m'en suis fait presqu'une amie*
*Une douce habitude*
*Elle ne me quitte pas d'un pas*
*Fidèle comme une ombre*
*Elle m'a suivi ça et là*
*Aux quatre coins du monde*

*Non je ne suis jamais seul*
*Avec ma solitude*

*Par elle j'ai autant appris*
*Que j'ai versé de larmes*
*Si parfois je la répudie*
*Jamais elle ne désarme*
*Et si je préfère l'amour*
*D'une autre courtisane*

*Elle sera à mon dernier jour*
*Ma dernière campagne*

*Non, je ne suis jamais seul*
*Avec ma solitude*

Ma solitude
Georges Moustaki

# OUVRAGES PARUS AUX ÉDITIONS

**La Personne**

COMMUNICATION ET ÉPANOUISSEMENT PERSONNEL
Lucien Auger (1972) Editions de l'Homme — Editions du CIM

J'AIME
Yves Saint-Arnaud (1970) Editions du Jour — Editions du CIM

LA PERSONNE HUMAINE
Yves Saint-Arnaud (1974) Editions de l'Homme — Editions du CIM

S'AIDER SOI-MÊME
Lucien Auger (1974) Editions de l'Homme — Editions du CIM

UNE THÉORIE DU CHANGEMENT DE LA PERSONNALITÉ
Gendlin (Roussel) (1975) Editions du CIM

VAINCRE SES PEURS
Lucien Auger (1977) Editions de l'Homme — Editions du CIM

**Groupes et organisations**

DYNAMIQUE DES GROUPES
Jean-Marie Aubry et Yves Saint-Arnaud (1975) Editions de l'Homme — Editions du CIM

ESSAI SUR LES FONDEMENTS PSYCHOLOGIQUES DE LA COMMUNAUTÉ
Yves Saint-Arnaud (1970) Editions du CIM

L'EXPÉRIENCE DES RETRAITES EN DIALOGUE
Louis Fèvre (1974) Desclée de Brouwer — Editions du CIM

LE GROUPE OPTIMAL I:
Modèle descriptif de la vie en groupe
Yves Saint-Arnaud (1972) Editions du CIM

LE GROUPE OPTIMAL II:
Théorie provisoire du groupe optimal
Yves Saint-Arnaud (1972) Editions du CIM

LE GROUPE OPTIMAL III:
Sa situation dans la recherche
Roland-Bruno Tremblay (1974) Editions du CIM

QUESTIONNAIRES D'AUTO-ÉVALUATION DU TRAVAIL EN ÉQUIPE
Solange Trudeau-Masse (1971) Editions du CIM

SAVOIR ORGANISER, SAVOIR DÉCIDER
Gérald Lefebvre (1975) Editions de l'Homme
— Editions du CIM

## TABLE DES MATIÈRES

## TABLE DES MATIÈRES (suite)

LISTE DES TEXTES

## LISTE DES TEXTES (suite)

## LISTE DES TABLEAUX

*Achevé d'imprimer sur les presses de*
***L'IMPRIMERIE ELECTRA ****
***pour***
***LES EDITIONS DE L'HOMME LTÉE***

* Division du groupe Sogides Ltée

# Ouvrages parus chez les Éditeurs du groupe Sogides

# Ouvrages parus aux ÉDITIONS DE L'HOMME

## ART CULINAIRE

**Art d'apprêter les restes (L'),** S. Lapointe,
**Art de la table (L'),** M. du Coffre,
**Art de vivre en bonne santé (L'),** Dr W. Leblond,
**Boîte à lunch (La),** L. Lagacé,
**101 omelettes,** M. Claude,
**Cocktails de Jacques Normand (Les),** J. Normand,
**Congélation (La),** S. Lapointe,
**Conserves (Les),** Soeur Berthe,
**Cuisine chinoise (La),** L. Gervais,
**Cuisine de maman Lapointe (La),** S. Lapointe,
**Cuisine de Pol Martin (La),** Pol Martin,
**Cuisine des 4 saisons (La),** Mme Hélène Durand-LaRoche,
**Cuisine en plein air,** H. Doucet,
**Cuisine française pour Canadiens,** R. Montigny,
**Cuisine italienne (La),** Di Tomasso,
**Diététique dans la vie quotidienne,** L. Lagacé,
**En cuisinant de 5 à 6,** J. Huot,
**Fondues et flambées de maman Lapointe,** S. Lapointe,
**Fruits (Les),** J. Goode,
**Grande Cuisine au Pernod (La),** S. Lapointe,
**Hors-d'oeuvre, salades et buffets froids,** L. Dubois,
**Légumes (Les),** J. Goode,
**Madame reçoit,** H.D. LaRoche,
**Mangez bien et rajeunissez,** R. Barbeau,
**Poissons et fruits de mer,** Soeur Berthe,
**Recettes à la bière des grandes cuisines Molson,** M.L. Beaulieu,
**Recettes au "blender",** J. Huot,
**Recettes de gibier,** S. Lapointe,
**Recettes de Juliette (Les),** J. Huot,
**Recettes de maman Lapointe,** S. Lapointe,
**Régimes pour maigrir,** M.J. Beaudoin,
**Tous les secrets de l'alimentation,** M.J. Beaudoin,
**Vin (Le),** P. Petel,
**Vins, cocktails et spiritueux,** G. Cloutier,
**Vos vedettes et leurs recettes,** G. Dufour et G. Poirier,
**Y'a du soleil dans votre assiette,** Georget-Berval-Gignac,

## DOCUMENTS, BIOGRAPHIE

**Architecture traditionnelle au Québec (L'),** Y. Laframboise,
**Art traditionnel au Québec (L'),** Lessard et Marquis,
**Artisanat québécois 1. Les bois et les textiles,** C. Simard,
**Artisanat québécois 2. Les arts du feu,** C. Simard,
**Acadiens (Les),** E. Leblanc,
**Bien-pensants (Les),** P. Berton,
**Ce combat qui n'en finit plus,** A. Stanké,-J.L. Morgan,

**Charlebois, qui es-tu?,** B. L'Herbier,

**Comité (Le),** M. et P. Thyraud de Vosjoli,

**Des hommes qui bâtissent le Québec,** collaboration,

**Drogues,** J. Durocher,

**Epaves du Saint-Laurent (Les),** J. Lafrance,

**Ermite (L'),** L. Rampa,

**Fabuleux Onassis (Le),** C. Cafarakis,

**Félix Leclerc,** J.P. Sylvain,

**Filière canadienne (La),** J.-P. Charbonneau,

**Francois Mauriac,** F. Seguin,

**Greffes du coeur (Les),** collaboration,

**Han Suyin,** F. Seguin,

**Hippies (Les),** Time-coll.,

**Imprévisible M. Houde (L'),** C. Renaud,

**Insolences du Frère Untel,** F. Untel,

**J'aime encore mieux le jus de betteraves,** A. Stanké,

**Jean Rostand,** F. Seguin,

**Juliette Béliveau,** D. Martineau,

**Lamia,** P.T. de Vosjoli,

**Louis Aragon,** F. Seguin,

**Magadan,** M. Solomon,

**Maison traditionnelle au Québec (La),** M. Lessard, G. Vilandré,

**Maîtresse (La),** James et Kedgley,

**Mammifères de mon pays,** Duchesnay-Dumais,

**Masques et visages du spiritualisme contemporain,** J. Evola,

**Michel Simon,** F. Seguin,

**Michèle Richard raconte Michèle Richard,** M. Richard,

**Mon calvaire roumain,** M. Solomon,

**Mozart, raconté en 50 chefs-d'oeuvre,** P. Roussel,

**Nationalisation de l'électricité (La),** P. Sauriol,

**Napoléon vu par Guillemin,** H. Guillemin,

**Objets familiers de nos ancêtres,** L. Vermette, N. Genêt, L. Décarie-Audet,

**On veut savoir, (4 t.),** L. Trépanier,

**Option Québec,** R. Lévesque,

**Pour entretenir la flamme,** L. Rampa,

**Pour une radio civilisée,** G. Proulx,

**Prague, l'été des tanks,** collaboration,

**Premiers sur la lune,** Armstrong-Aldrin-Collins,

**Prisonniers à l'Oflag 79,** P. Vallée,

**Prostitution à Montréal (La),** T. Limoges,

**Provencher, le dernier des coureurs des bois,** P. Provencher,

**Québec 1800,** W.H. Bartlett,

**Rage des goof-balls (La),** A. Stanké, M.J. Beaudoin,

**Rescapée de l'enfer nazi,** R. Charrier,

**Révolte contre le monde moderne,** J. Evola,

**Riopelle,** G. Robert,

**Struma (Le),** M. Solomon,

**Terrorisme québécois (Le),** Dr G. Morf,

**Ti-blanc, mouton noir,** R. Laplante,

**Treizième chandelle (La),** L. Rampa,

**Trois vies de Pearson (Les),** Poliquin-Beal,

**Trudeau, le paradoxe,** A. Westell,

**Un peuple oui, une peuplade jamais!** J. Lévesque,

**Un Yankee au Canada,** A. Thério,

**Une culture appelée québécoise,** G. Turi,

**Vizzini,** S. Vizzini,

**Vrai visage de Duplessis (Le),** P. Laporte,

## ENCYCLOPEDIES

**Encyclopédie de la maison québécoise,** Lessard et Marquis,

**Encyclopédie des antiquités du Québec,** Lessard et Marquis,

**Encyclopédie des oiseaux du Québec,** W. Earl Godfrey,

**Encyclopédie du jardinier horticulteur,** W.H. Perron,

**Encyclopédie du Québec, Vol. I et Vol. II,** L. Landry,

# ESTHETIQUE ET VIE MODERNE

**Cellulite (La),** Dr G.J. Léonard,
**Chirurgie plastique et esthétique (La),** Dr A. Genest,
**Embellissez votre corps,** J. Ghedin,
**Embellissez votre visage,** J. Ghedin,
**Etiquette du mariage,** Fortin-Jacques, Farley,
**Exercices pour rester jeune,** T. Sekely,
**Exercices pour toi et moi,** J. Dussault-Corbeil,
**Face-lifting par l'exercice (Le),** S.M. Rungé,
**Femme après 30 ans (La),** N. Germain,
**Femme émancipée (La),** N. Germain et L. Desjardins,
**Leçons de beauté,** E. Serei,
**Médecine esthétique (La),** Dr G. Lanctôt,
**Savoir se maquiller,** J. Ghedin,
**Savoir-vivre,** N. Germain,
**Savoir-vivre d'aujourd'hui (Le),** M.F. Jacques,
**Sein (Le),** collaboration,
**Soignez votre personnalité, messieurs,** E. Serei,
**Vos cheveux,** J. Ghedin,
**Vos dents,** Archambault-Déom,

# LINGUISTIQUE

**Améliorez votre français,** J. Laurin,
**Anglais par la méthode choc (L'),** J.L. Morgan,
**Corrigeons nos anglicismes,** J. Laurin,
**Dictionnaire en 5 langues,** L. Stanké,
**Petit dictionnaire du joual au français,** A. Turenne,
**Savoir parler,** R.S. Catta,
**Verbes (Les),** J. Laurin,

# LITTERATURE

**Amour, police et morgue,** J.M. Laporte,
**Bigaouette,** R. Lévesque,
**Bousille et les justes,** G. Gélinas,
**Berger (Les),** M. Cabay-Marin, Ed. TM,
**Candy,** Southern & Hoffenberg,
**Cent pas dans ma tête (Les),** P. Dudan,
**Commettants de Caridad (Les),** Y. Thériault,
**Des bois, des champs, des bêtes,** J.C. Harvey,
**Ecrits de la Taverne Royal,** collaboration,
**Exodus U.K.,** R. Rohmer,
**Exxoneration,** R. Rohmer,
**Homme qui va (L'),** J.C. Harvey,
**J'parle tout seul quand j'en narrache,** E. Coderre,
**Malheur a pas des bons yeux (Le),** R. Lévesque,
**Marche ou crève Carignan,** R. Hollier,
**Mauvais bergers (Les),** A.E. Caron,
**Mes anges sont des diables,** J. de Roussan,
**Mon 29e meurtre,** Joey,
**Montréalités,** A. Stanké,
**Mort attendra (La),** A. Malavoy,
**Mort d'eau (La),** Y. Thériault,
**Ni queue, ni tête,** M.C. Brault,
**Pays voilés, existences,** M.C. Blais,
**Pomme de pin,** L.P. Dlamini,
**Printemps qui pleure (Le),** A. Thério,
**Propos du timide (Les),** A. Brie,
**Séjour à Moscou,** Y. Thériault,
**Tit-Coq,** G. Gélinas,
**Toges, bistouris, matraques et soutanes,** collaboration,
**Ultimatum,** R. Rohmer,
**Un simple soldat,** M. Dubé,
**Valérie,** Y. Thériault,
**Vertige du dégoût (Le),** E.P. Morin,

# LIVRES PRATIQUES – LOISIRS

**Aérobix,** Dr P. Gravel,
**Alimentation pour futures mamans,** T. Sekely et R. Gougeon,
**Améliorons notre bridge,** C. Durand,
**Apprenez la photographie avec Antoine Desilets,** A. Desilets,

**Arbres, les arbustes, les haies (Les),** P. Pouliot,
**Armes de chasse (Les),** Y. Jarrettie,
**Astrologie et l'amour (L'),** T. King,
**Bougies (Les),** W. Schutz,
**Bricolage (Le),** J.M. Doré,
**Bricolage au féminin (Le),** J.-M. Doré,
**Bridge (Le),** V. Beaulieu,
**Camping et caravaning,** J. Vic et R. Savoie,
**Caractères par l'interprétation des visages, (Les),** L. Stanké,
**Ciné-guide,** A. Lafrance,
**Chaînes stéréophoniques (Les),** G. Poirier,
**Cinquante et une chansons à répondre,** P. Daigneault,
**Comment amuser nos enfants,** L. Stanké,
**Comment tirer le maximum d'une mini-calculatrice,** H. Mullish,
**Conseils à ceux qui veulent bâtir,** A. Poulin,
**Conseils aux inventeurs,** R.A. Robic,
**Couture et tricot,** M.H. Berthouin,
**Dictionnaire des mots croisés, noms propres,** collaboration,
**Dictionnaire des mots croisés, noms communs,** P. Lasnier,
**Fins de partie aux dames,** H. Tranquille, G. Lefebvre,
**Fléché (Le),** L. Lavigne et F. Bourret,
**Fourrure (La),** C. Labelle,
**Guide complet de la couture (Le),** L. Chartier,
**Guide de la secrétaire,** M. G. Simpson,
**Hatha-yoga pour tous,** S. Piuze,
**8/Super 8/16,** A. Lafrance,
**Hypnotisme (L'),** J. Manolesco,
**Information Voyage,** R. Viau et J. Daunais, Ed. TM,
**Interprétez vos rêves,** L. Stanké,
**J'installe mon équipement stéréo, T. I et II,** J.M. Doré,
**Jardinage (Le),** P. Pouliot,
**Je décore avec des fleurs,** M. Bassili,
**Je développe mes photos,** A. Desilets,
**Je prends des photos,** A. Desilets,
**Jeux de cartes,** G. F. Hervey,
**Jeux de société,** L. Stanké,
**Lignes de la main (Les),** L. Stanké,
**Magie et tours de passe-passe,** I. Adair,
**Massage (Le),** B. Scott,
**Météo (La),** A. Ouellet,
**Nature et l'artisanat (La),** P. Roy,
**Noeuds (Les),** G.R. Shaw,
**Origami I,** R. Harbin,
**Origami II,** R. Harbin,
**Ouverture aux échecs (L'),** C. Coudari,
**Parties courtes aux échecs,** H. Tranquille,
**Petit manuel de la femme au travail,** L. Cardinal,
**Photo-guide,** A. Desilets,
**Plantes d'intérieur (Les),** P. Pouliot,
**Poids et mesures, calcul rapide,** L. Stanké,
**Tapisserie (La),** T.-M. Perrier, N.-B. Langlois,
**Taxidermie (La),** J. Labrie,
**Technique de la photo,** A. Desilets,
**Techniques du jardinage (Les),** P. Pouliot,
**Tenir maison,** F.G. Smet,
**Tricot (Le),** F. Vandelac,
**Vive la compagnie,** P. Daigneault,
**Vivre, c'est vendre,** J.M. Chaput,
**Voir clair aux dames,** H. Tranquille,
**Voir clair aux échecs,** H. Tranquille et G. Lefebvre,
**Votre avenir par les cartes,** L. Stanké,
**Votre discothèque,** P. Roussel,
**Votre pelouse,** P. Pouliot,

## *LE MONDE DES AFFAIRES ET LA LOI*

**ABC du marketing (L'),** A. Dahamni,
**Bourse (La),** A. Lambert,
**Budget (Le),** collaboration,
**Ce qu'en pense le notaire,** Me A. Senay,
**Connaissez-vous la loi?** R. Millet,
**Dactylographie (La),** W. Lebel,
**Dictionnaire de la loi (Le),** R. Millet,
**Dictionnaire des affaires (Le),** W. Lebel,
**Dictionnaire économique et financier,** E. Lafond,
**Divorce (Le),** M. Champagne et Léger,
**Guide de la finance (Le),** B. Pharand,
**Initiation au système métrique,** L. Stanké,
**Loi et vos droits (La),** Me P.A. Marchand,
**Savoir organiser, savoir décider,** G. Lefebvre,
**Secrétaire (Le/La) bilingue,** W. Lebel,

## *PATOF*

**Cuisinons avec Patof,** J. Desrosiers,
**Patof raconte,** J. Desrosiers,
**Patofun,** J. Desrosiers,

## SANTE, PSYCHOLOGIE, EDUCATION

**Activité émotionnelle (L'),** P. Fletcher,
**Allergies (Les),** Dr P. Delorme,
**Apprenez à connaître vos médicaments,** R. Poitevin,
**Caractères et tempéraments,** C.-G. Sarrazin,
**Comment animer un groupe,** collaboration,
**Comment nourrir son enfant,** L. Lambert-Lagacé,
**Comment vaincre la gêne et la timidité,** R.S. Catta,
**Communication et épanouissement personnel,** L. Auger,
**Complexes et psychanalyse,** P. Valinieff,
**Contact,** L. et N. Zunin,
**Contraception (La),** Dr L. Gendron,
**Cours de psychologie populaire,** F. Cantin,
**Dépression nerveuse (La),** collaboration,
**Développez votre personnalité, vous réussirez,** S. Brind'Amour,
**Douze premiers mois de mon enfant (Les),** F. Caplan,
**Dynamique des groupes,** Aubry-Saint-Arnaud,
**En attendant mon enfant,** Y.P. Marchessault,
**Femme enceinte (La),** Dr R. Bradley,
**Guérir sans risques,** Dr E. Plisnier,
**Guide des premiers soins,** Dr J. Hartley,
**Guide médical de mon médecin de famille,** Dr M. Lauzon,
**Langage de votre enfant (Le),** C. Langevin,
**Maladies psychosomatiques (Les),** Dr R. Foisy,
**Maman et son nouveau-né (La),** T. Sekely,
**Mathématiques modernes pour tous,** G. Bourbonnais,
**Méditation transcendantale (La),** J. Forem,
**Mieux vivre avec son enfant,** D. Calvet,
**Parents face à l'année scolaire (Les),** collaboration,
**Personne humaine (La),** Y. Saint-Arnaud,
**Pour bébé, le sein ou le biberon,** Y. Pratte-Marchessault,
**Pour vous future maman,** T. Sekely,
**15/20 ans,** F. Tournier et P. Vincent,
**Relaxation sensorielle (La),** Dr P. Gravel,
**S'aider soi-même,** L. Auger,
**Soignez-vous par le vin,** Dr E. A. Maury,
**Volonté (La), l'attention, la mémoire,** R. Tocquet,
**Vos mains, miroir de la personnalité,** P. Maby,
**Votre personnalité, votre caractère,** Y. Benoist-Morin,
**Yoga, corps et pensée,** B. Leclerq,
**Yoga, santé totale pour tous,** G. Lescouflar,

## SEXOLOGIE

**Adolescent veut savoir (L'),** Dr L. Gendron,
**Adolescente veut savoir (L'),** Dr L. Gendron,
**Amour après 50 ans (L'),** Dr L. Gendron,
**Couple sensuel (Le),** Dr L. Gendron,
**Déviations sexuelles (Les),** Dr Y. Léger,
**Femme et le sexe (La),** Dr L. Gendron,
**Helga,** E. Bender,
**Homme et l'art érotique (L'),** Dr L. Gendron,
**Madame est servie,** Dr L. Gendron,
**Maladies transmises par relations sexuelles,** Dr L. Gendron,
**Mariée veut savoir (La),** Dr L. Gendron,
**Ménopause (La),** Dr L. Gendron,
**Merveilleuse histoire de la naissance (La),** Dr L. Gendron,
**Qu'est-ce qu'un homme,** Dr L. Gendron,
**Qu'est-ce qu'une femme,** Dr L. Gendron,
**Quel est votre quotient psycho-sexuel?** Dr L. Gendron,
**Sexualité (La),** Dr L. Gendron,
**Teach-in sur la sexualité,** Université de Montréal,
**Yoga sexe,** Dr L. Gendron et S. Piuze,

## SPORTS (collection dirigée par Louis Arpin)

**ABC du hockey (L'),** H. Meeker,
**Aikido, au-delà de l'agressivité,** M. Di Villadorata,
**Bicyclette (La),** J. Blish,
**Comment se sortir du trou au golf,** Brien et Barrette,
**Courses de chevaux (Les),** Y. Leclerc,

**Allocutaire (L'),** G. Langlois,
**Bois pourri (Le),** A. Maillet,
**Carnivores (Les),** F. Moreau,
**Carré Saint-Louis,** J.J. Richard,
**Centre-ville,** J.-J. Richard,
**Chez les termites,**
M. Ouellette-Michalska,
**Cul-de-sac,** Y. Thériault,
**D'un mur à l'autre,** P.A. Bibeau,
**Danka,** M. Godin,
**Débarque (La),** R. Plante,
**Demi-civilisés (Les),** J.C. Harvey,
**Dernier havre (Le),** Y. Thériault,
**Domaine de Cassaubon (Le),**
G. Langlois,
**Dompteur d'ours (Le),** Y. Thériault,
**Doux Mal (Le),** A. Maillet,
**En hommage aux araignées,** E. Rochon,
**Et puis tout est silence,** C. Jasmin,
**Faites de beaux rêves,** J. Poulin,
**Fille laide (La),** Y. Thériault,
**Fréquences interdites,** P.-A. Bibeau,
**Fuite immobile (La),** G. Archambault,
**Jeu des saisons (Le),**
M. Ouellette-Michalska,
**Marche des grands cocus (La),**
R. Fournier,
**Monsieur Isaac,** N. de Bellefeuille et
G. Racette,
**Mourir en automne,** C. de Cotret,
**N'Tsuk,** Y. Thériault
**Neuf jours de haine,** J.J. Richard,
**New Medea,** M. Bosco,
**Ossature (L'),** R. Morency,
**Outaragasipi (L'),** C. Jasmin,
**Petite fleur du Vietnam (La),**
C. Gaumont,
**Pièges,** J.J. Richard,
**Porte Silence,** P.A. Bibeau,
**Requiem pour un père,** F. Moreau,
**Scouine (La),** A. Laberge,
**Tayaout, fils d'Agaguk,** Y. Thériault,
**Tours de Babylone (Les),** M. Gagnon,
**Vendeurs du Temple (Les),** Y. Thériault,
**Visages de l'enfance (Les),** D. Blondeau,
**Vogue (La),** P. Jeancard,

# Ouvrages parus aux PRESSES LIBRES

**Amour (L'),** collaboration
**Amour humain (L'),** R. Fournier,
**Anik,** Gilan, **3.00**
**Ariâme . . .Plage nue,** P. Dudan,
**Assimilation pourquoi pas? (L'),**
L. Landry,
**Aventures sans retour,** C.J. Gauvin,
**Bateau ivre (Le),** M. Metthé,
**Cent Positions de l'amour (Les),**
H. Benson,
**Comment devenir vedette,** J. Beaulne,
**Couple sensuel (Le),** Dr L. Gendron,
**Démesure des Rois (La),**
P. Raymond-Pichette,
**Des Zéroquois aux Québécois,**
C. Falardeau,
**Emmanuelle à Rome,**
**Exploits du Colonel Pipe (Les),**
R. Pradel,
**Femme au Québec (La),**
M. Barthe et M. Dolment,
**Franco-Fun Kébecwa,** F. Letendre,
**Guide des caresses,** P. Valinieff,
**Incommunicants (Les),** L. Leblanc,
**Initiation à Menke Katz,** A. Amprimoz,
**Joyeux Troubadours (Les),** A. Rufiange,
**Ma cage de verre,** M. Metthé,
**Maria de l'hospice,** M. Grandbois,
**Menues, dodues,** Gilan,
**Mes expériences autour du monde,**
R. Boisclair,
**Mine de rien,** G. Lefebvre,
**Monde agricole (Le),** J.C. Magnan,
**Négresse blonde aux yeux bridés (La),**
C. Falardeau,
**Niska,** G. Robert,
**Paradis sexuel des aphrodisiaques (Le),**
M. Rouet,
**Plaidoyer pour la grève et la contestation,**
A. Beaudet,
**Positions +,** J. Ray,
**Pour une éducation de qualité au Québec,**
C.H. Rondeau,
**Québec français ou Québec québécois,**
L. Landry,
**Rêve séparatiste (Le),** L. Rochette,
**Sans soleil,** M. D'Allaire,
**Séparatiste, non, 100 fois non!**
Comité Canada,
**Terre a une taille de guêpe (La),**
P. Dudan,
**Tocap,** P. de Chevigny,
**Virilité et puissance sexuelle,** M. Rouet,
**Voix de mes pensées (La),** E. Limet,